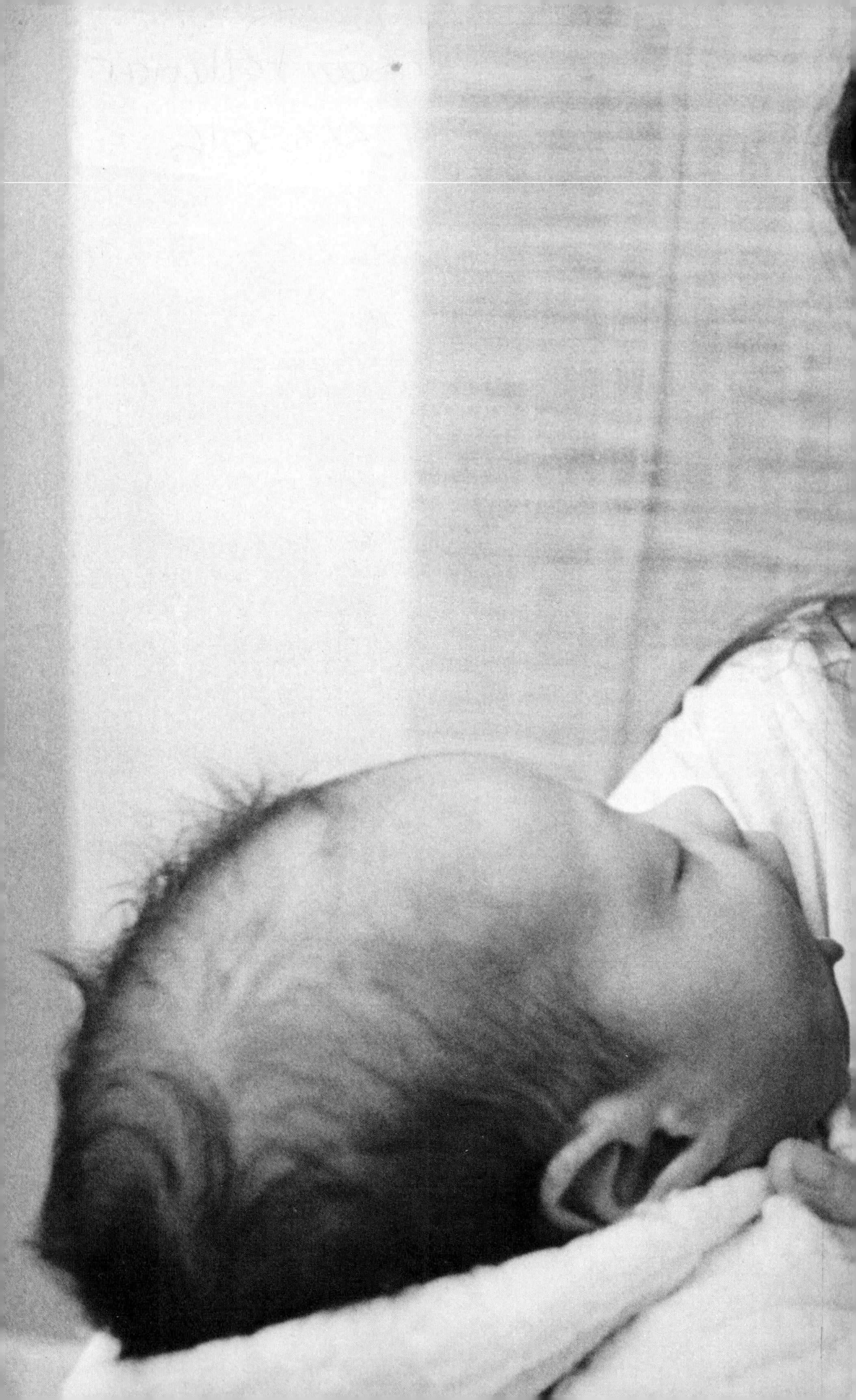

LE LIVRE DE

L'ALLAITEMENT MATERNEL

COLETTE CLARK

LE LIVRE DE

L'ALLAITEMENT MATERNEL

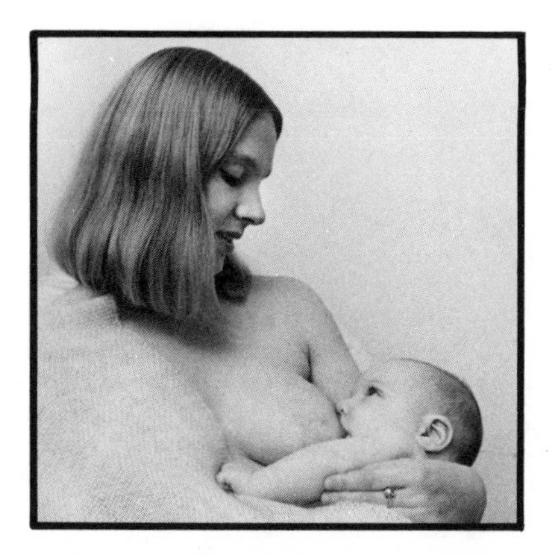

Données de catalogage avant publication (Canada)

Clark, Colette, 1951-

Le livre de l'allaitement maternel
Nouv. éd. rev. -
Comprend des références bibliographiques.

ISBN 2-920340-47-6

1. Allaitement maternel. I. Titre.

RJ216.C53 1989 649'.33 C89-096447-5

Page couverture et montage : Francine André
Typographie : Les Entreprises Ysabelle Inc.
Photo page couverture et photos intérieures : Guy Turcot

Dépôt légal 4è trimestre 1989
Bibliothèques nationales du Québec et du Canada
ISBN 2-920340-47-6

DIFFUSION

France

DVE Diffusion
20 Rue de la Trémoille
F-75008 Paris, France
(1) 47.20.40.41

Belgique

Diffusion Vander s.a.
321 Avenue des Volontaires
B-1150 Bruxelles, Belgique
(2) 762.98.04

Amérique

Diffusion Prologue Inc.
1650, boul. Lionel-Bertrand
Boisbriand (Québec) Canada J7E 4H4
(514) 434-0306

Suisse

Transat s.a.
2, rte du Grand-Lancy
Case postale 125
CH 1211 Genève 26, Suisse
(22) 42.77.40

GUY SAINT-JEAN Éditeur Inc.
674, Place Publique, bureau 200
Laval (Québec) Canada H7X 1G1
(514) 689-6402

Imprimé et relié au Canada

Je dédie ce livre en reconnaissance,
À mes parents : Jeannette et Roland Aubé
À mon mari : Jacques
À mes enfants : Mathieu, Philippe,
Simon et Marc-André

J'exprime toute ma gratitude

- À mon mari, Jacques Clark, acupuncteur, qui m'a donné de précieux conseils et suggestions.

- Au Dr Hélène Cantlie qui a non seulement préfacé le manuscrit mais l'a complété par ses judicieux commentaires. Le Dr Cantlie est un médecin montréalais dont la pratique consiste presque exclusivement à soigner les nourrices et leurs bébés. Ses nombreuses études et recherches sur l'allaitement, notamment sur l'infection du sein, la jaunisse, le temps de succion, l'extraction manuelle du lait, pour ne nommer que celles-là, ont fait avancer ce domaine à grands pas. Sa présence au Québec est rassurante pour la femme qui allaite son bébé et stimulante pour les médecins et pédiatres qui désirent le bien de leurs patients.

- À Pierre Graveline et Anne-Marie Viau qui ont lu et corrigé le manuscrit.

- À Guy Turcot pour les photos.

- À Francine André pour la mise en page et à Jocelyne Poirier pour la typographie.

- À Magdo Arbour, Louise Dénommée, Monique Lefrançois, Jacques Hébert; à Claire Raynauld et les amies de La Leche ainsi qu'à toutes les femmes qui m'ont aidée par leurs expériences et leurs témoignages.

- À Denise Jobin des Éditions Guy Saint-Jean et à Marie-Élaine Roy pour les illustrations des jumeaux.

- Aux mamans et aux bébés des photos.

L'auteure

Note : dans cet ouvrage, si je parle du bébé en utilisant «il» ou «lui» ce n'est pas par sexisme, mais par convenance.

Table des matières

Préface 13

CHAPITRE 1
La situation de l'allaitement maternel à travers le monde 17
Le déclin de l'allaitement - Les méfaits du biberon en pays sous-développés -Pour un retour à l'allaitement maternel.

CHAPITRE 2
Les avantages pour le bébé 23
Le lait maternel : le meilleur lait pour bébé - Une immunité naturelle - Moins d'allergies - Pas d'obésité chez le bébé allaité au sein - De meilleures dents, un meilleur développement facial - Le besoin de succion - Pour satisfaire son besoin de contact physique - L'anémie - Des avantages à long terme.

CHAPITRE 3
Les avantages pour la mère 37
Le côté pratique - Une économie appréciable - La santé de la mère - Prévenez le cancer du sein - Les menstruations retardées - L'allaitement : une méthode de relaxation - La satisfaction émotionnelle -Le plaisir - L'instinct maternel -L'aspect esthétique - La dépression post-partum.

CHAPITRE 4
Le merveilleux mécanisme de la lactation 51
L'anatomie des seins - L'aspect externe du sein - La structure interne du sein - Les changements dans les seins pendant la grossesse - Comment se fait le lait -Réflexe de sécrétion ou d'éjection - Le colostrum ou premier lait - Le lait maternel : un aliment merveilleux.

CHAPITRE 5
Préparation à l'allaitement pendant la grossesse 61
Le choix du médecin - La cohabitation et le choix de l'hôpital - Vous informez votre mari - Entrez en contact avec la Ligue La Leche - Le soin des mamelons pendant la grossesse - L'importance de la nutrition pendant la grossesse - Le choix de vêtements et de soutien-gorge.

CHAPITRE 6
Votre séjour hospitalier 77
L'accouchement - Les premières tétées - Combien de temps chaque sein ? - L'horaire - L'hygiène des mamelons à l'hôpital.

CHAPITRE 7
Votre retour à la maison 87
Le retour à la maison - Le repos et l'aide domestique - L'horaire des premières semaines - Les tétées de la nuit - Les poussées de croissance - Le poids et la pesée du bébé - Les selles - Vos autres enfants -Votre vie sociale - L'attitude mentale.

CHAPITRE 8
Quelques difficultés et comment les surmonter 101
Les mamelons douloureux - L'engorgement, le canal lactifère bloqué et l'infection du sein - Trop de lait - Pas assez de lait - Le bébé qui n'engraisse pas assez -Les mamelons creux ou invaginés - Le bébé qui pleure - Le bébé qui refuse le sein.

CHAPITRE 9
Situation particulières 127
Le prématuré - La «césarienne» - La jaunisse - La mère qui travaille - Les jumeaux - Les triplets - Rétablir la sécrétion lactée - L'hospitalisation - Les menstruations, nouvelle grossesse - La conservation et l'extraction du lait maternel - L'extraction manuelle du lait - L'utilisation d'un tire-lait.

CHAPITRE 10
L'alimentation pendant l'allaitement 147
Les aliments à conseiller - Les aliments à surveiller - Les aliments à éviter - Les liquides - Les médicaments - Les suppléments vitaminiques - Les drogues - La pilule contraceptive - La cigarette - Les «polluants» et le lait maternel.

CHAPITRE 11
L'introduction des aliments solides 159
Les «petits pots» versus les aliments-maison.

CHAPITRE 12
Le sevrage 165
Le sevrage provoqué - Le sevrage naturel - Nourrir le bébé plus âgé - Les avantages - Quand le sevrage devient difficile - Le sevrage de la mère - Après le sevrage.

CHAPITRE 13
La sexualité et l'allaitement 179
La sexualité féminine - L'aspect sensuel de l'allaitement - Les relations maritales pendant l'allaitement.

CHAPITRE 14
La participation de l'homme 185

CHAPITRE 15
Pour faire un succès de l'allaitement 189

Témoignages 197

Bibliographie 200

Préface

Il existe, en anglais de nombreux livres sur l'allaitement, dont quelques-uns peuvent véritablement guider la mère nourrice...

Jusqu'à l'avènement de cet ouvrage, les mamans francophones se trouvaient, sur ce point, nettement défavorisées.

Celle qui lit ce livre et met ces conseils en pratique est virtuellement assurée d'allaiter avec succès : elle répond ainsi à ses besoins physiologiques et à ceux de son petit, plutôt que de se plier à l'opinion de ceux qui l'entourent.

La connaissance naturelle de la physiologie de l'allaitement, transmise de mère en fille depuis toujours, fut petit à petit oubliée, lors de l'avènement des biberons.

Ce n'est qu'en 1972 que la prolactine humaine, hormone qui régit la production du lait, a été isolée, et que l'on a pu en étudier les caractéristiques. Avant ce temps, nos connaissances scientifiques sur la physiologie de l'allaitement étaient très faibles, et la qualité des conseils et des soins donnés aux mamans s'en ressentait.

Comment se passe un allaitement normal ?

Le nouveau-né dont la mère n'a pas été droguée, est d'habitude très éveillé dans les heures qui suivent la naissance. Il cherche le sein, et tète longtemps et avec vigueur. Il voudra téter plusieurs fois dans ses premiers jours.

S'il n'est pas allaité dès la naissance, son réflexe de succion sera diminué pendant environ quarante heures.

La maman, de son côté, éprouve le besoin de toucher, de voir nu, de sentir, de bercer ce tout petit, et le porte naturellement à son sein pour calmer ses pleurs. C'est dans les heures qui suivent la naissance que s'ébauchent les liens d'amour entre ces deux êtres. Les effets de la séparation à ce moment peuvent se faire sentir pendant plusieurs mois, voire des années.

Une étude menée à Pelotas, au Brésil, montre que, sur cent mères ayant gardé leur bébé dès la naissance, 76 allaitaient encore pleinement à deux mois, contre 27 sur cent ayant subi une séparation de 12 heures suivie d'un allaitement aux trois heures pendant 30 minutes (ce qui est plus que dans plusieurs de nos hôpitaux).

Les physiologistes sont maintenant en mesure d'expliquer ce phénomène : à la naissance du bébé, on constate un niveau très élevé de prolactine dans le sang maternel. En tétant, le nourrisson stimule la production de cette hormone qui, à son tour, stimule les seins à produire plus de lait. La demi-vie de la prolactine n'est que de 50 minutes. Au bout de ce temps, la moitié du niveau initial demeure en circulation, en 100 minutes le quart, en 150 minutes, le huitième, pour ainsi dire aucune prolactine. Si bébé boit souvent, la maman garde beaucoup de prolactine dans son sang. Si, au contraire, il ne tète pas, les niveaux de cette hormone tombent précipitamment et les seins ne sont pas stimulés à produire plus de lait. Comme l'action de la prolactine se fait sentir avec un retard de 48 heures environ (24-72 heures), c'est après ce délai que les effets d'une erreur se font sentir. Le bébé qui boit souvent dès la naissance a d'habitude du lait en quantité au bout de deux jours, et parce que la prolactine n'a pas beaucoup fluctué chez sa mère, elle ne souffrira ni de manques ni d'engorgements.

Au contraire, celle qui a subi 12 heures de séparation a, pendant ce temps, accumulé dans son hypophyse des granules de prolactine qui «inonderont» son système à la première tétée. 48 heures plus tard, elle risque l'engorgement massif, suivi, si bébé ne tète qu'aux trois ou quatre heures, d'un manque de lait.

Heureusement, les seins sont tels que le bébé veut téter très souvent, au début.

En effet, la mère emmagasine son lait dans les sinus lactifères situés sous l'aréole. C'est en comprimant ces petites poches entre sa langue et son palais que le bébé reçoit son lait. Il ne suce que pour garder le mamelon dans sa bouche, et, s'il suce trop, par habitude de la bouteille, de la suce ou de la téterelle, il peut endommager le mamelon, et ne pas recevoir assez de lait.

Au début, ces petites poches ne peuvent emmagasiner que 30-60 ml environ de lait, mais avec chaque «descente de lait», les sinus sont dilatés, et leur capacité augmente. Comme le bébé normal a besoin d'environ 540 ml de lait par jour, il devra revenir souvent au sein pour se rassasier. La prolactine sera, de ce fait, adéquatement stimulée. Vers 6 à 8 semaines, la production de lait étant bien établie, la prolactine est moins essentielle, et les sinus lactifères peuvent contenir 113 à 226 ml. Le bébé, recevant plus de lait à la fois, se met donc à espacer ses boires.

Comme seul le bébé sait combien de lait il a reçu, il est logique que l'on se fie à son appétit et qu'on le nourrisse dès qu'il pleure même immédiatement après un boire sachant que l'on augmente ce faisant, la quantité de lait qu'il recevra les jours suivants.

L'hormone «oxytocine» fait «descendre» le lait des alvéoles où il est produit jusqu'aux sinus lactifères où le bébé peut le boire. Elle est secrétée à toutes les 2 ou 3 minutes aussi longtemps que l'enfant tète. Le poupon qui boit deux heures d'affilée reçoit du lait pendant toute cette période, et, pendant ce temps, maintient chez sa mère des niveaux de prolactine élevés. Chez la maman nerveuse, la «descente de lait» peut prendre 5 minutes ou plus à venir. Si la durée de la tétée est limitée à 5 minutes, l'enfant sera privé du lait crémeux venant des alvéoles, et risque de manquer de calories et de perdre du poids. Il n'est donc pas logique de limiter la durée des boires.

Bref, les physiologistes ont, après de longues recherches, redécouvert ce que les mères allaitant avec succès ont toujours su : pour réussir, il faut donner le sein dès que le bébé pleure, aussi longtemps qu'il veut téter.

Madame Clark, dans cet ouvrage, utilise les données de la science moderne, et les traduit en conseils pratiques couvrant presque toutes les situations relevant de l'allaitement.

Ayant moi-même traité plusieurs centaines de mères nourrices, je puis compter sur mes doigts celles qui n'ont pas réussi à nourrir leur petit uniquement avec leur lait dans les six premiers mois de sa vie. Les conseils de ce livre, je les ai donnés moi-même à de nombreuses mères, et je sais qu'ils sont efficaces.

Vous qui connaissez les immenses bénéfices de l'allaitement tant pour la mère que pour son petit, qui désirez donner à votre enfant le meilleur de vous-même afin qu'il s'épanouisse, lisez ce livre. Ce guide sûr vous aidera à éviter les écueils que notre société érige devant vous. Vous vivrez alors pleinement cette relation d'amour privilégiée, l'un des grands bonheurs d'une vie de femme.

Docteur Hélène Cantlie
Associée médicale
de la Ligue internationale La Leche
Directrice de la Montreal Childbirth Education Association

CHAPITRE 1

La situation de l'allaitement maternel à travers le monde

Le déclin de l'allaitement

En l'espace d'une génération, les femmes ont abandonné l'allaitement au sein pour l'allaitement artificiel. Jamais dans l'histoire, un changement dans le comportement humain ne s'est fait d'une façon aussi radicale. Depuis la nuit des temps, les femmes allaitaient leurs petits et, en l'espace de 60 ans, le biberon prend le dessus et connaît la faveur populaire.

En moins de 10 ans, en Amérique, entre 1946 et 1956, le nombre de femmes qui allaitent baisse de moitié. En 1973, selon une statistique canadienne, seulement 36% des nouveau-nés sont allaités au moment de la naissance et ce pourcentage tombe à 17%, à l'âge de trois mois. En 1929, en Angleterre, 77% des bébés sont allaités; 20 ans plus tard, 64% sont nourris au biberon. Subissant l'influence de l'Amérique qui est à l'origine de ce phénomène, plusieurs autres pays ont emboîté le pas. Un changement aussi brusque dans le comportement humain ne peut reposer uniquement sur un seul facteur, mais bien sur un ensemble de phénomènes rattachés les uns aux autres.

Au début du siècle, un changement important s'effectue sur le plan relations mère-enfants. Jusque-là les mères se fiaient à leur jugement et aux conseils des grands-mères et des autres femmes de la famille. Leurs conseils sont, petit à petit, remplacés par ceux des psychologues et pédiatres de l'époque, qui incitent les mères à ne prendre le bébé que pour le nourrir et à le laisser pleurer entre-temps. Un peu plus tard, vers 1939, le Dr Emmett Holt, le «Benjamin Spock» du temps, préconise les horaires de 4 heures; une rigidité de plus en plus grande s'installe dans les rapports avec les bébés, ce qui vient à l'encontre de l'allaitement maternel qui requiert souplesse et flexibilité.

Entre-temps survient la deuxième grande guerre, qui amène l'industrialisation, la mise en marché des biberons et l'exode des femmes sur le marché du travail. Jusque-là confinées à leur foyer, elles se voient forcées d'aller remplacer les hommes partis au front. Le biberon s'avère non seulement pratique pour celles qui travaillent, mais devient, par la même occasion, un symbole de libération. Les femmes qui nourrissent au sein ne font pas «modernes» et passent pour rétrogrades. Le sein devient l'attrait le plus sexuel de la femme et, par conséquent, la propriété du mâle. Une femme de l'époque qui nourrit rencontrera souvent l'opposition d'un mari jaloux qui ne veut pas partager «ses» seins.

La réfrigération et la pasteurisation rendent de plus en plus facile l'allaitement artificiel et, bien que cela entraîne toutes sortes de problèmes de santé chez les bébés, on ne fait pas encore le lien et le biberon n'est pas blâmé, puisqu'il est recommandé par la plupart des spécialistes de la santé.

Les méfaits du biberon en pays sous-développés

Les pays en voie de développement veulent suivre l'exemple des pays occidentalisés et se «moderniser» en employant les biberons. Pourtant, la désaffection du sein en faveur du biberon a des conséquences néfastes dans ces pays où l'hygiène ne rencontre pas les normes essentielles à un allaitement artificiel sans danger.

L'Organisation Mondiale de la Santé (O.M.S.) relie l'augmentation du taux de malnutrition, d'infections et de mortalité infantile au déclin de l'allaitement maternel. À cet effet, la mortalité des bébés nourris au biberon pendant les trois premiers mois est trois fois plus élevée que celle des bébés nourris au lait maternel.

Le Dr D.B. Jeliffe, spécialiste en nutrition pour l'O.M.S., soutient que le déclin de l'allaitement en pays sous-développés entraîne une plus grande conception alors que les gens n'ont pas les moyens matériels d'entretenir une nombreuse famille. De plus, on estime qu'un travailleur africain ou chilien doit débourser environ le quart de son salaire pour nourrir un enfant au biberon, ce qui est astronomique du strict point de vue économique. L'abandon du sein en plus d'être désastreux pour la santé des mères et des bébés, causerait une perte financière qui se chiffrerait à des milliards de dollars.

Le Dr Jeliffe estime aussi qu'aux Indes, par exemple, il faudrait cent quatorze millions de vaches supplémentaires pour nourrir les bébés artificiellement. Imaginez toutes les terres arables qu'on aurait besoin pour nourrir ces vaches, terres qui sont déjà rares dans ces pays pauvres.

L'abandon du sein touche à peu près tous les pays en voie de développement : au Canada, l'Eskimo traditionnel était allaité pendant au moins deux ans; depuis l'abandon de l'allaitement, les maladies et la mortalité infantiles augmentent à une vitesse effarante. En Jamaïque, le gouvernement commence à établir des programmes pour rééduquer les femmes sur l'allaitement. On s'est rendu compte que le marasme (maigreur extrême) et le kwaskiorkor (manque de protéines) chez les bébés étaient dûs, en grande partie, à l'allaitement artificiel.

En Nouvelle -Guinée on a même légiféré afin de restreindre l'importation et la distribution des biberons et des laits maternisés à cause de ses effets dévastateurs. On peut en obtenir que sous autorisation écrite d'un professionnel de la santé et une peine sévère est prévue à quiconque enfreint la loi.

Une importante compagnie multinationale, fabricante de formules pour bébés, a dû répondre à de sérieuses accusations concernant la publicité faite en pays sous-développés au sujet des laits maternisés. Des femmes, habillées en infirmières, sollicitaient les mères de famille afin que celles-ci utilisent le lait en conserve. Comme ces femmes ne sont pas instruites, elles ne savent pas lire les instructions et diluent le lait avec trop d'eau. En plus, la réfrigération se faisant rare, les bactéries ont vite fait d'envahir les biberons, causant ainsi des infections graves chez les bébés. Toute cette publicité faite dans ces pays en voie de développement est criminelle et constitue une arme contre la santé et même la survie des bébés.

Pour un retour à l'allaitement maternel

Même si depuis une soixantaine d'années, on assiste à une importante baisse de l'allaitement, les perspectives ne sont pas aussi pessimistes qu'on peut le croire. Depuis une quinzaine d'années environ, le vent semble vouloir souffler dans la direction contraire et redonner à l'allaitement maternel la place qui lui revient. Autant dans les années 30, le biberon était un symbole de libération, autant le sein, parmi les groupes de femmes plus instruites, est maintenant un signe d'émancipation. Plusieurs groupes se sont formés à travers le monde pour promouvoir l'allaitement maternel, dont la «Leche League» qui est un des plus importants. En Yougoslavie les femmes qui choisissent l'allaitement maternel jouissent d'un congé de maternité de 6 mois.

En Suisse, par exemple, on offre une allocation supplémentaire aux femmes qui allaitent pendant une durée de 10 semaines. En Suède, plus de 95% des femmes allaitent, du moins pendant leur séjour hospitalier, grâce à des campagnes d'éducation faites par le ministère de la santé. Les femmes allaitent de six à huit mois et le taux de mortalité infantile est un des plus bas au monde. En Russie, depuis une vingtaine d'années, les femmes sont obligées d'allaiter pendant leur séjour hospitalier, aucune autre alternative ne leur étant offerte. Elles demeurent deux semaines à l'hôpital et ont, par la suite, un congé de maternité payé de deux mois, avant et après la naissance du bébé. Une fois de retour au travail, profitant des garderies installées sur place, elles continuent d'allaiter leurs petits. La même chose se produit en Chine où 90% des femmes allaitent leurs bébés. Aux États-Unis et au Canada, même si la proportion des mères qui allaitent est moindre, une prise de conscience s'effectue progressivement et le pourcentage de femmes qui choisissent l'allaitement se chiffre à plus de 50%. De plus en plus d'hôpitaux offrent la cohabitation, ce qui facilite l'allaitement et de plus en plus d'informations sont données aux femmes enceintes durant les cours prénataux. Un des centres hospitaliers les plus importants du Québec, en matière d'obstétrique, l'hôpital Ste-Justine à Montréal, nous confirme qu'au moment où ces lignes sont écrites, 90% des femmes allaitent, du moins pendant leur séjour hospitalier.

Tout porte à croire que d'ici une vingtaine d'années, la majorité des femmes allaiteront de nouveau leurs bébés et, qui sait, si au siècle prochain, le biberon ne fera pas partie des objets de musée ?

CHAPITRE 2

Les avantages pour le bébé

Le lait maternel : le meilleur lait pour bébé

Tous les spécialistes, médecins, pédiatres, infirmières reconnaissent d'une voix unanime la supériorité du lait maternel pour les bébés. De plus en plus de recherches sont faites à ce sujet, et on découvre régulièrement de nouveaux bienfaits.

Mêmes les compagnies de formules font leur publicité autour du lait humain : «nourrit comme le lait maternel» affirme la publicité d'une importante marque de lait commercial. Pourtant, jamais aucun lait ne remplacera, pour les bébés, celui prévu par la nature. Même l'O.M.S. (Organisation Mondiale de la Santé) qui regroupe de grands spécialistes de la santé, recommande fortement l'allaitement maternel pour le développement harmonieux des enfants, tant sur le plan physique que psychologique; elle incite les gouvernements à éduquer le personnel hospitalier pour que celui-ci puisse aider adéquatement les nourrices.

Chaque lait correspond aux besoins de chaque espèce. Le phoque, par exemple, qui vit dans les eaux froides, doit se nourrir de lait très riche afin de se garder au chaud. Le lapin doit

apprendre à courir très vite, c'est là son unique défense; le lait de sa mère qui contient 52 calories par 28 ml, comparativement à 20 pour le lait de vache, lui permettra de se développer plus rapidement. Lorsque le petit veau vient au monde, il doit au plus vite développer de bons muscles afin de se tenir debout sur ses pattes. Le lait de vache est parfaitement adapté à ses besoins, car il est très riche en protéines; il en contient trois fois plus que le lait humain. L'homme, par contre, est un mammifère qui se développe très lentement sur le plan physique, si on le compare avec les petits de la plupart des autres mammifères qui marchent et se débrouillent peu de temps après la naissance. Il est, d'autre part, un être mental, et le lait de sa mère est ainsi composé qu'il favorise un développement adapté à sa nature. Tous les composants (protéines, eau, sucre, vitamines) sont en proportion parfaitement équilibrée, ce qui facilite la digestion et accélère l'assimilation. Lorsque l'enfant est nourri au lait de vache, il doit faire un effort supplémentaire pour digérer les protéines en trop. En plus, le lactose du lait maternel favorise le développement des bactéries utiles à la digestion. Le fait que tous les ingrédients soient ainsi équilibrés rendant la digestion plus facile, est une des raisons pour lesquelles le bébé nourri au sein boit plus souvent que celui nourri au biberon.

Une immunité naturelle

Le plus important avantage physique que l'allaitement confère au nouveau-né, est sans doute l'immunité contre les infections et la protection contre les maladies.

Au moment de sa naissane, le bébé quitte un milieu absolument stérile, pour s'exposer à un monde microbien auquel son organisme n'est pas encore prêt à faire face. Par le lait maternel, il recevra les anticorps nécessaires pour combattre les infections.

Des centaines d'études ont démontré que les enfants nourris au sein sont en meilleure santé que ceux nourris au lait maternisé. L'absence d'anticorps dans le lait maternisé est une des principales raisons de cette différence.

Une observation faite sur vingt mille enfants a révélé des chiffres renversants : les enfants nourris au biberon souffraient deux fois plus d'infections que ceux nourris au sein. Et lorsque ces infections étaient graves, 96.7% se trouvaient parmi les enfants nourris artificiellement et seulement 3.3% parmi ceux nourris au lait maternel.

Parmi les infections que l'on rencontre assez fréquemment, se trouvent les gastro-entérites et les diarrhées graves; il est rare qu'un bébé nourri complètement au sein en soit gravement atteint. L'éminent Dr Paul Gyorgy, biochimiste et spécialiste dans le domaine de l'allaitement maternel, a fait des expériences avec des enfants atteints de graves diarrhées et s'est rendu compte qu'après leur avoir donné du lait maternel, ces enfants guérissaient à une vitesse incroyable, quelquefois même après une tétée seulement. Le lait maternel est antibactérien et, en plus de protéger les mamelons de la mère et la bouche du bébé contre les infections, il en protège également l'estomac et les voies intestinales.

Une autre étude menée en Grande-Bretagne a démontré que les infections respiratoires comme les bronchites, pneumonies, etc., se répétaient beaucoup plus souvent chez les enfants nourris au biberon.

Dans le même ordre d'idées, une recherche faite dans le grand nord canadien prouve que les enfants allaités pendant une période d'au moins quatre mois, souffraient deux fois moins d'otites (inflammation aigüe de l'oreille).

Il est donc vital d'allaiter le nouveau-né, ne serait-ce que pendant la première semaine de vie, afin qu'il bénéficie des avantages immunologiques du colostrum. Ce précieux liquide jaunâtre qui constitue le premier lait, contient 6 fois plus de protéines, 5 fois plus de vitamines A, 12 fois plus de carotène, 7 fois plus de vitamine E et environ 3 fois plus d'anticorps que le lait maternel comme tel. Il n'y a qu'une partie des anticorps qui est transmise par le placenta; les autres le sont par l'entremise du colostrum et du lait maternel, et protègent le bébé de certains virus comme celui de la polio et de bactéries comme l'Escherichia coli, responsable des gastro-entérites, les staphylocoques et les streptocoques.

Alors que son système digestif n'est pas prêt à recevoir autre chose que le lait maternel, et que ses mécanismes de défense ne sont pas encore à maturité, le bébé aura tout intérêt à être nourri par sa mère dès la naissance.

Moins d'allergies

Plusieurs études ont démontré que les enfants nourris au sein exclusivement pendant les six premiers mois de leur vie, ont moins tendance aux allergies que les autres.

Les allergies les plus courantes, en rapport avec l'alimentation des nouveau-nés, sont celles provoquées par les protéines du lait de vache.

Les bébés manifestant une intolérance complète aux formules ne pourront survivre sans le lait humain. Bien qu'ils constituent une minorité, il y a tous ceux qui, sans être vraiment allergiques, auront beaucoup de difficultés à tolérer le lait de vache. Combien de bébés avons-nous connus, accablés d'interminables coliques, de fesses constamment irritées, de diarrhées fréquentes ou de constipation tenace ? Combien d'autres régurgitent une bonne partie de leur boire et semblent tout à fait inconsolables, pleurant pendant des heures. On rencontre rarement ces symptômes chez un bébé nourri au sein, à moins qu'il ne soit allaité insuffisamment ou encore qu'il soit allergique à un aliment faisant partie du régime de sa mère. À ce moment-là, une simple correction au menu de la nourrice suffit à régler le problème.

Tous les chercheurs qui se sont penchés sur le sujet sont d'accord pour dire que l'eczéma, les bronchites asthmatiques et toutes les affections allergiques en général se rencontrent beaucoup moins chez les enfants allaités exclusivement au lait de la mère.

S'il existe une prédisposition aux allergies dans votre famille, vous avez tout intérêt à nourrir votre bébé uniquement au sein et à retarder l'introduction des solides jusqu'à l'âge de six mois, car l'hérédité semble jouer un rôle important dans l'apparition des allergies. C'est dans les premiers mois de sa vie surtout, que l'enfant développera certaines allergies. Mettez toutes les chances de son côté et épargnez-lui ces désagréments qui peuvent le suivre, quelquefois, toute une vie.

Pas d'obésité chez le bébé allaité au sein

Si l'on s'inquiète, et avec raison d'ailleurs, de la sous-alimentation qui existe dans plusieurs pays, l'on ne s'inquiète pas suffisamment de la suralimentation qui existe chez nous.

L'enquête de Nutrition Canada, effectuée en 1975, concluait que 50% des adultes possèdent des livres en trop et que 10% des hommes et 30% des femmes sont obèses. L'obésité est l'une des causes de certaines maladies comme le diabète et les problèmes cardio-vasculaires pour ne citer que celles-là.

Un nombre encore inconnu de ces adultes sont obèses depuis les premiers mois de leur existence. Ces personnes, même en étant sous régime très strict et en réussissant à perdre du poids, auront toujours tendance à récidiver car la suralimentation précoce augmente le nombre de cellules adipeuses, et celles-ci peuvent diminuer en taille mais jamais en nombre.

Le Dr Myres, qui a participé à cette enquête Nutrition Canada, soutient que les enfants nourris artificiellement courent plus de risques de devenir obèses. La femme qui nourrit au sein a l'avantage de ne pas savoir combien de lait son bébé prend. L'enfant boit quand il a soif et s'arrête quand il est rassasié. Par contre, la mère qui donne le biberon s'inquiète quand son bébé ne finit pas son boire et elle a tendance à le forcer. Elle doit aussi ajouter des «petits pots» et des céréales en boîte au régime du bébé nourri au biberon, alors que celui nourri au sein n'a nul besoin de «solides» avant l'âge de six mois.

Cela ne veut pas dire que le bébé allaité au sein ne soit pas «bien en chair». Au contraire. Mais si on le compare avec l'enfant nourri au biberon de même poids, on constate que dans la plupart des cas, la chair est plus ferme, plus musclée. Il y a évidemment des bébés nourris artificiellement qui sont très beaux, car heureusement, l'enfant possède une capacité d'adaptation très grande. Il existe également des bébés qui, nourris au sein sont, pâles et chétifs. Le tort ne revient pas au lait maternel comme tel, mais dans la plupart des cas, cela dépend d'un horaire trop rigide, d'où résulte une absorption insuffisante de lait. Un bébé nourri au sein exclusivement pendant les six premiers mois de la vie, qui tète à volonté, selon un horaire flexible, aura un poids idéal, ni trop gras, ni trop maigre, «dodu juste à point» comme nous les aimons !

De meilleures dents, un meilleur développement facial

De plus en plus de dentistes s'inquiètent des méfaits du biberon et de la suce sur le développement de la bouche et des dents des enfants.

Les mâchoires et les dents mal formées, nécessitant le port de broches, seraient, dans plusieurs cas, étroitement liées à l'alimentation artificielle.

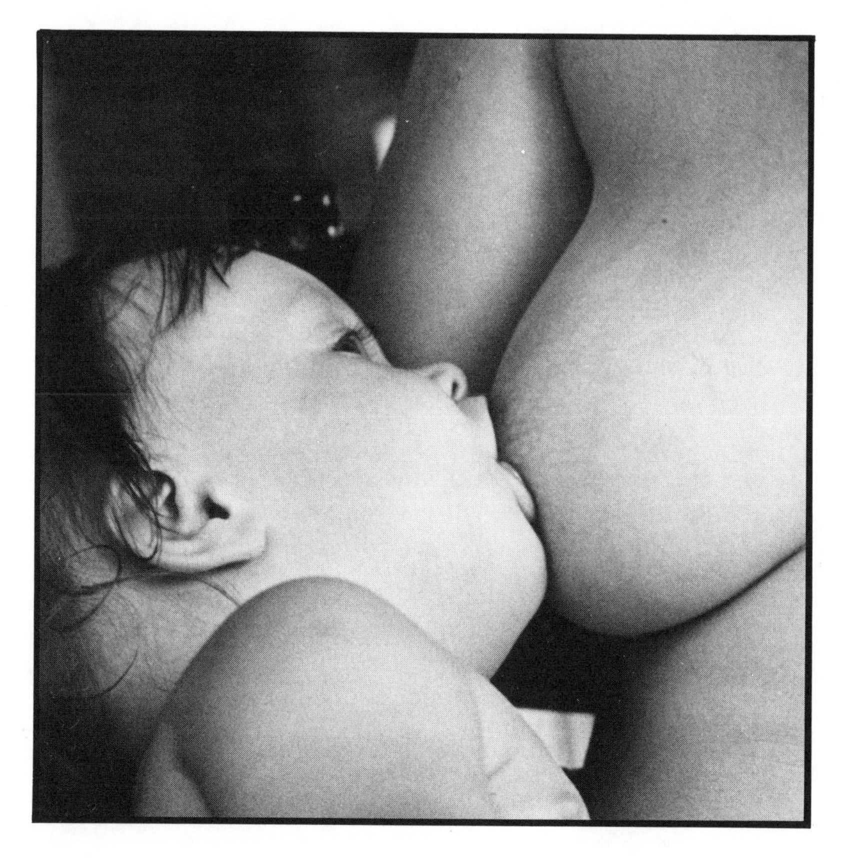

L'acte de téter fournit l'exercice nécessaire à un développement adéquat du palais et des mâchoires, contribuant ainsi à une meilleure acquisition du langage. Dans certains cas, l'alimentation artificielle peut être responsable du zézaiement chez un enfant, du fait qu'elle l'encourage à projeter sa langue vers l'avant.

Plusieurs dentistes pensent également que l'enfant nourri au sein sera moins sujet à la carie dentaire : lorsqu'il s'endort, il tète avec paresse et le mamelon perd sa rigidité et sort de sa bouche. Par contre, lorsqu'il s'endort avec son biberon, l'enfant conserve du lait dans sa bouche, ce qui crée un environnement idéal pour le développement des bactéries. De plus, les formules pour enfants contiennent du sucre artificiel, lequel possède un effet néfaste sur les dents.

Le besoin de succion

En plus de combler ses besoins nutritifs et affectifs, l'allaitement maternel satisfait les besoins de succion du bébé.

Des radiographies ont pu montrer le foetus tétant son pouce dans le ventre de sa mère, ce qui prouve son grand besoin inné de téter.

L'enfant nourri au sein doit faire beaucoup plus d'efforts pour s'allaiter que celui nourri au biberon, ce qui, en plus de développer adéquatement les mâchoires et les muscles faciaux, lui permet de satisfaire davantage son besoin naturel de succion.

Le lait d'un biberon coule sans que le bébé n'ait à travailler beaucoup, surtout si le trou de la tétine est le moindrement trop grand. La mère devra compenser en donnant une suce ou alors le bébé tétera son pouce.

Une étude faite par une anthropologue chez les bébés africains montre que les orphelins suçaient leur pouce, alors que les autres, tous allaités, se contentaient du sein.

Il y a quand même beaucoup de bébés nourris au sein qui sucent leur pouce. C'est, dans la plupart des cas, parce que le sein est donné avec restriction et aussi parce que les bébés, en général, sont laissés pendant de longues périodes dans leur berceau. Dans les pays où l'allaitement est courant, en plus de donner souvent le sein, on porte le bébé dans le dos presque continuellement.

Il n'y a évidemment rien de mal à ce qu'un bébé suce son pouce; mais cela peut être une indication qu'il faut donner le sein plus souvent ou plus longtemps. Certains bébés ont un besoin de succion plus prononcé que d'autres et vont téter tout ce qui leur tombe dans la bouche : un doigt, une couverture, des objets de toutes sortes, le bras ou le cou de la personne qui le tient, etc.

On n'a qu'à écouter les «chansons» d'un bébé qui s'allaite pour s'apercevoir de la satisfaction qu'il peut tirer de ces minutes précieuses. Le Dr Applebaum* a enregistré ces «vocalises» des bébés nourris au sein. Il en ressort des sons remplis de douceur et de contentement.

Même si la suce peut rendre service quelquefois, rien ne peut remplacer la chaleur du sein de la mère qui, en plus d'être la meilleure nourriture pour bébé, est aussi le calmant le plus naturel qui soit.

Pour satisfaire son besoin de contact physique

Tout porte à croire que le foetus baigne dans un état de sécurité et de confort parfait. Après le choc de la naissance, le bébé s'attend à un prolongement de cet état et recherche cette sécurité perdue au moment de son arrivée dans le monde. Malheureusement, dans notre monde occidenal, tout concourt à l'éloigner le plus possible de sa mère. Aussitôt né, on coupe le cordon, le bébé est lavé, pesé, examiné et déposé dans un lit en verre, pour être amené dans une pouponnière où la lumière, souvent intense, n'est pas pour lui rappeler l'obscurité de son ancienne demeure.*

* Le Dr Applebaum est un pédiatre américain, auteur de volumes sur l'allaitement et membre du Bureau consultatif de la Ligue La Leche.

* Heureusement depuis quelques années, un mouvement contraire se dessine de plus en plus dans les hôpitaux.

C'est pourtant le moment de la vie où la mère et l'enfant ont le plus besoin l'un de l'autre, afin d'atténuer ce choc de la naissance et de continuer cette symbiose d'amour.

Tout l'organisme de la mère et celui du bébé sont destinés à l'allaitement : en plus de ressentir le besoin de le tenir dans ses bras, la mère a des seins prêts à lui fournir le précieux colostrum, pendant que le miraculeux mécanisme de la lactation se met en branle. Chez le bébé, le sens le plus éveillé est celui du toucher; il a besoin d'être bercé, cajolé, allaité, rassuré, et la première région de son corps par laquelle il établira cette communication cutanée est la région de la bouche. Il va sans dire qu'il répondra avec beaucoup plus de satisfaction au sein de la mère qu'à la tétine de caoutchouc.

La communication qui s'établit lors de la tétée est la première expérience socialisante de sa vie. Cette relation mère-enfant est très importante et aura un impact sur son développement futur.

On affirme souvent que s'il est caressé et dorloté à chaque boire, l'enfant nourri artificiellement est aussi privilégié que celui allaité au sein. Bien que nous ne mettions pas en doute la valeur de l'affection prodiguée par la mère qui nourrit au biberon, on ne peut toutefois pas comparer les deux expériences à partir des mêmes données. Selon le Dr Niles Newton, auteur du livre *Maternal Emotions,* on ne peut pas parler d'expérience semblable, car tout le corps et tout l'organisme de la mère et du bébé sont impliqués lors de l'allaitement. C'est toute la biologie de l'être qui entre en jeu lors d'une tétée.

De plus une mère qui donne le biberon, tiendra son bébé, règle générale, toujours du même côté; par exemple si elle est droitière elle tiendra le bébé sur son bras gauche et donnera le biberon de la main droite. Le côté droit du bébé étant appuyé sur la mère, recevra moins de stimulation. L'hémisphère gauche de son cerveau, l'oeil gauche et les membres du côté gauche seront stimulés davantage. En allaitant il change de sein régulièrement et reçoit une stimulation égale et régulière ce qui contribue à un meilleur développement de son cerveau et une coordination musculaire plus équilibrée.

Il est, de toute façon, assez difficile pour la mère de caresser son bébé tout en donnant le biberon, ses deux mains étant occupées. Elle préférera sans doute cajoler son bébé à un autre moment. Comme beaucoup de mères laissent leur petit seul avec leur biberon, Karen Pryor, dans son merveilleux livre *Nursing your Baby*, émet l'hypothèse suivante : notre mentalité matérialiste tient peut-être son origine du fait qu'étant jeunes, notre attention était surtout tournée vers le biberon, plutôt que vers notre mère. De là également viendrait notre tendance à surconsommer et à nous suralimenter. De plus en plus de psychiatres pensent même que certains cas d'obésité, d'alcoolisme, de maladies d'origine psychosomatique et de frustrations sexuelles, seraient étroitement liés au manque de contacts physiques avec la mère pendant les premières années de la vie, en particulier à la privation du sein maternel.

L'odeur

Cela peut peut-être surprendre de parler de la senteur d'un bébé comme faisant partie des avantages à allaiter. C'est pourtant une caractéristique indéniable. Le bébé au sein sent tellement bon ! J'ai demandé à plusieurs femmes qui ont fait l'expérience des biberons et du sein et elles sont toutes d'accord sur ce point : le bébé au sein sent meilleur et de loin ! Lorsqu'un bébé au biberon régurgite, il s'en suit une odeur de lait caillé ce qui est plutôt désagréable, alors que le lait maternel régurgité ne sent à peu près rien. Même chose pour les selles : pour l'un l'odeur est très forte alors que pour l'autre à peine perceptible. Même l'odeur de la peau est très différente. En prenant un bébé dans mes bras je peux tout de suite dire s'il est nourri au sein ou au biberon, juste par l'odeur qu'il dégage.

L'anémie

La composition du lait maternel, ses ingrédients parfaitement équilibrés pour les besoins du bébé, aident à prévenir l'anémie.

Le Dr Hugh Joseph* affirme : «Il est bien connu, et cela depuis longtemps, que les enfants nourris au sein, en général, ne deviennent pas anémiques». Il est d'ailleurs intéressant de remarquer qu'aucune des récentes études traitant de l'anémie chez les bébés, ne porte sur les enfants nourris au sein.

Le bébé nourri artificiellement est défavorisé sur ce plan : le lait de vache, en plus d'être pasteurisé, doit être chauffé avant d'être donné au nourrisson, ce qui détruit une partie des éléments nutritifs. Il contient également deux fois moins de fer que le lait humain. Mais ce n'est pas tellement la quantité supérieure de fer qui fait la valeur du lait maternel, car, malgré tout, la quantité n'est pas très importante; c'est plutôt un ensemble d'éléments qui aide à l'absorption du fer et à son assimilation.

- On a récemment découvert que la vitamine E, présente dans le lait humain et absente dans le lait de vache, est nécessaire à l'utilisation du fer.

- On sait également que la vitamine C est importante dans la prévention de l'anémie. Le lait maternel en contient deux fois plus que le lait de vache.

- Un manque de cuivre, d'autre part, peut causer une certaine forme d'anémie. Le lait maternel en contient trois fois plus.

- On y trouve également une substance absente dans le lait de vache, appelée transferrine, qui permet au fer de passer de l'intestin du bébé jusque dans son sang.

- On retrouve dans le lait de la mère une dose beaucoup plus importante de lactoferrine que dans le lait de vache : cette protéine du fer aide à empêcher la formation de certaines bactéries, comme l'Escherichia Coli, responsables des gastro-entérites qui, en retour, peuvent causer l'anémie.

Si la mère s'est bien alimentée pendant sa grossesse, l'enfant, à la naissance, possède une bonne réserve de fer qui lui suffira pendant au moins les six premiers mois de sa vie, et dans bien des cas s'il est allaité uniquement au sein pendant presque toute la

* Le Dr Hugh Joseph, pédiatre américain réputé pour ses recherches sur l'anémie.

première année. À cause de tout cela le bébé allaité né à terme n'a pas besoin d'un supplément de fer (cf. ch. 4 p. 58).

Des avantages à long terme

Il va sans dire que tous ces avantages, et beaucoup d'autres encore dont bénéficient les enfants nourris au sein, ne s'arrêtent pas au moment du sevrage.

L'enfant allaité aura, en général, la chance de se développer plus facilement et plus rapidement que celui nourri artificiellement.

Des études ont démontré qu'ils marchent en général plus tôt et possèdent une meilleure activité musculaire qu'un bébé nourri au biberon.

D'autres expériences ont prouvé que les enfants allaités sans supplément pendant au moins quatre à six mois, ont, en général, beaucoup plus de facilité à l'école, un quotient intellectuel plus élevé et un meilleur comportement social. À cet effet, lorsqu'un petit Japonais entre à l'école pour la première fois, on lui demande s'il a été allaité et pendant combien de temps.

On rencontre également beaucoup moins de déliquants chez les enfants nourris au sein de leur mère. Plusieurs médecins affirment qu'ils auront aussi plus de facilité dans leurs relations maritales et sexuelles.

Si vous décidez d'allaiter votre bébé, soyez certaine que vous lui donnez le meilleur départ possible dans la vie. En plus de recevoir l'alimentation idéale, il bénéficie du contact physique de sa mère, si important pour lui.

LE NOUVEAU-NÉ N'A QUE TROIS BESOINS ESSENTIELS : LA CHALEUR DES BRAS DE SA MÈRE, LA CERTITUDE DE SA PRÉSENCE ET LE LAIT DE SES SEINS. L'ALLAITEMENT MATERNEL SATISFAIT TOUS LES TROIS.

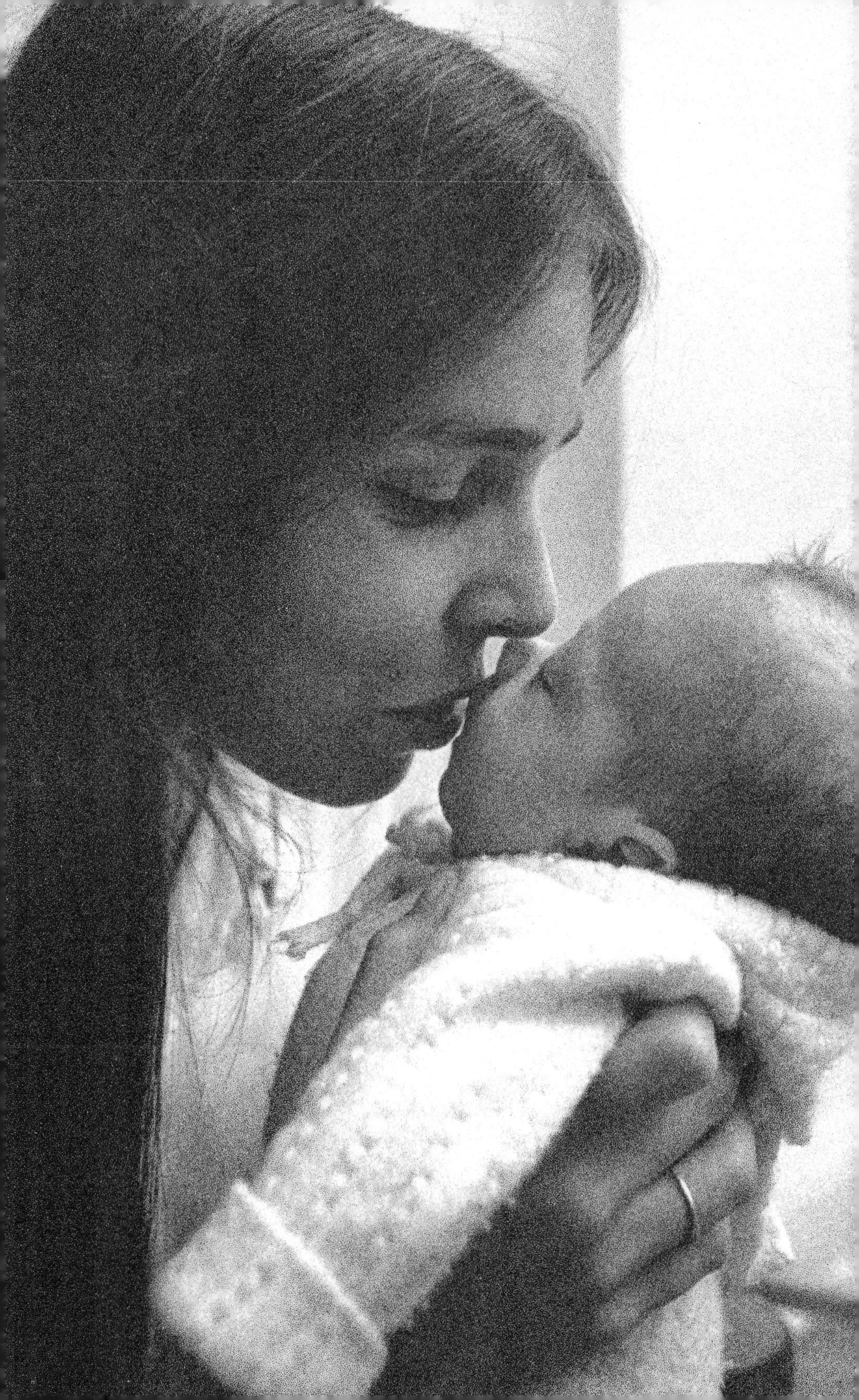

Chapitre 3

Les avantages pour la mère

Le côté pratique

Une femme à qui l'on demandait pourquoi elle avait choisi de nourrir son bébé, répondait avec une pointe d'humour : «Parce que je suis paresseuse».

C'est, en effet, pour beaucoup de femmes, le côté pratique de l'allaitement qui fait pencher la balance en sa faveur. Ainsi, le lait du bébé est toujours prêt, et toujours à la bonne température. Si vous préférez rester couchée, vous n'avez qu'à prendre le bébé avec vous dans votre lit. Pas de course au réfrigérateur et de biberons à faire réchauffer en plein milieu de la nuit. C'est un avantage d'ailleurs grandement apprécié par beaucoup de pères. Il peut arriver que les trous de la tétine d'un biberon soient trop petits ou encore trop grands, ce qui présente des difficultés pour le bébé. Vous ne rencontrez jamais ce problème avec le sein, évidemment.

Et pensez donc ! Pas de formule à préparer, de biberons à stériliser et à récurer. Aussi, il est très pratique de nourrir un bébé au sein pour un couple qui désire voyager. Vous n'avez même pas à vous arrêter pour cela. Vous le faites dans l'auto, dans le train ou même l'avion. Un bébé nourri au sein se soucie peu de l'endroit où il se trouve, tant que sa maman est près de lui.

Un autre aspect appréciable pour la femme qui allaite est qu'elle a toujours une main libre, pour lire un bon livre, faire un téléphone, recoudre un bouton ou s'occuper du bébé plus âgé.

Une économie appréciable

L'économie réalisée, si vous allaitez, est également à considérer. L'argent que vous auriez consacré à l'achat des biberons, tétines, de l'équipement pour stériliser et du lait pourra être utilisé à satisfaire d'autres besoins. Même si une femme doit manger un peu plus lorsqu'elle nourrit, ce surplus est quand même inférieur à celui du lait et de tout l'équipement nécessaire pour nourrir un bébé artificiellement.

Non seulement vous réaliserez une économie personnelle mais vous contribuerez à l'économie mondiale. En effet si vous allaitez pour une période de six mois vous aurez produit plus de trois cents litres de lait. Il aurait fallu plus de quatre cents litres de lait de vache pour produire une quantité comparable de lait maternisé. Imaginez toutes les répercussions économiques à l'échelle mondiale si tous les bébés étaient nourris artificiellement !

Comme un bébé au sein n'a généralement pas besoin de solides avant l'âge de six mois, vous n'aurez pas à vous soucier de cela non plus. Vous sauverez du temps, de l'argent et de l'énergie.

La santé de la mère

Si l'allaitement est important pour la santé du bébé, il l'est aussi pour celle de la mère. Après l'accouchement et même avant, tout le mécanisme de la lactation se met en branle. Si l'on va à l'encontre de la nature, il en résulte forcément des conséquences; elles ne sont quelquefois pas apparentes, mais peuvent se manifester de diverses façons, sans que l'on soupçonne que la suppression de la lactation en soit la cause.

Prévenez le cancer du sein

C'est le cas du cancer du sein. L'*American Cancer Society* et le *National Cancer Institute,* affirment que les femmes qui n'ont jamais allaité ont beaucoup plus de chances d'avoir un cancer du sein, et que, plus une femme allaite ses enfants longtemps, moins elle a de chances d'avoir un cancer du sein.

En Amérique, quatre femmes sur cent en sont atteintes; alors que dans les pays où l'allaitement est chose courante, cette maladie est presque inexistante.

Une étude conduite chez les Inuits du Canada démontre que ce n'est que récemment qu'on a commencé à déceler le cancer du sein chez ces indigènes. Auparavant les femmes allaitaient leurs bébés pendant au moins trois ans, puis devenaient enceinte de nouveau; la grossesse et l'allaitement se succédaient ainsi pendant plusieurs années. L'état hormonal de la femme pendant qu'elle allaite ainsi que le nombre de mois sans ovulation semblent être des explications possibles du rôle protecteur qu'apporte l'allaitement contre le cancer du sein.

Une autre découverte assez particulière faite dans un petit village de pêcheurs au sud de la Chine, mentionne ce qui suit : ces femmes par tradition allaitent leurs bébés uniquement du sein droit. Conséquemment presque tous les cancers décelés chez les femmes atteintes étaient localisés au sein gauche.

Depuis quelques années, il s'est fait beaucoup de publicité pour détecter le cancer du sein. Il ne faut surtout pas vous alarmer si vous sentez une ou même plusieurs bosses dans vos seins pendant que vous allaitez. C'est un phénomène courant, surtout pendant les premières semaines, alors que les seins ont tendance à s'engorger plus facilement. Si l'apparition d'un cancer du sein est pratiquement impossible pendant la période d'allaitement, il faut cependant tenir compte d'une bosse accompagnée d'une poussée de fièvre. Il faut alors consulter un médecin familier avec les problèmes d'allaitement, car trop de médecins, malheureusement, suspendent l'allaitement à la moindre bosse douloureuse... Sur tout l'argent dépensé pour la cause du cancer, on pourrait en réserver une partie pour apprendre aux femmes l'art de l'allaitement maternel qui est, de loin, la meilleure prévention contre le cancer du sein.

Les menstruations retardées

Bien que l'allaitement ne soit pas officiellement reconnu comme une méthode de contraception, l'expérience a démontré que s'il est pratiqué sans restriction, il peut être une méthode naturelle d'espacer les enfants. Cependant comme il existe des exceptions à la règle, une femme pour qui une grossesse serait tragique, aura avantage à utiliser une autre méthode contraceptive.

Beaucoup de femmes voient leurs menstruations revenir au bout de quelques semaines seulement, alors que d'autres peuvent facilement passer un an sans règles. La différence réside dans la façon d'allaiter. Si l'allaitement est total, sans suppléments, sans solides et autres liquides pendant six mois, sans suce et sans horaire rigide, il y a de fortes chances pour qu'il n'y ait aucune ovulation, ni menstruation, pendant plusieurs mois. Cette aménorrhée, en plus de diminuer les chances de conception est, selon plusieurs médecins, une bonne mesure de prévention contre l'anémie, puisqu'elle réduit la perte de sang chez la femme qui allaite. Il ne faut cependant pas confondre l'apparition précode des règles et le *«retour de couches»* que l'on expérimente, six semaines environ, après l'accouchement et qui est dû à un changement hormonal.

N'oubliez pas que c'est la succion du bébé qui contrôle l'ovulation; plus le bébé tète plus les chances de concevoir sont réduites. Si vous voulez en savoir davantage sur l'allaitement en rapport avec la contraception, il existe un livre consacré au sujet, écrit par Sheila Kippley, qui s'appelle : *Breast Feeding and Natural Child Spacing.* Ce livre, publié aux Éditions Harrer & Row, n'a malheureusement pas été traduit en français.

L'allaitement : une méthode de relaxation

Alors que la mère qui donne le biberon peut facilement laisser le bébé dans son lit pendant qu'il boit et vaquer à d'autres

occupations, la femme qui allaite est forcée de se reposer et de se détendre si elle veut faire un succès de l'allaitement.

Au moment de la tétée, vous devez vous asseoir ou vous allonger. C'est un moment de la journée qui vous appartient. Tout peut attendre. Vous pouvez toujours dire : *«Attends que j'aie fini de nourrir le bébé»*. Vous pouvez en profiter pour regarder une émission de télévision, téléphoner à votre meilleure amie, lire un bon livre ou encore sommeiller.

Lorsque le lait descend, la plupart des femmes ressentent une sensation de bien-être qui les porte à se détendre et à tout oublier.

Plusieurs femmes vous diront que lorsqu'elles souffrent d'insomnie, elles mettent leur petit au sein et s'endorment, comme par enchantement. Pendant la période d'allaitement, c'est le temps plus que jamais d'apprendre à vous détendre et à profiter pleinement de ces moments de solitude et d'intimité avec votre bébé. Plusieurs femmes ayant connu un allaitement long et heureux disent que ce fut une des plus belles périodes de leur vie. D'autres, croyant être trop nerveuses pour allaiter, ont profité de ces quelques mois pour apprendre à se relaxer et à jouir de la vie.

La satisfaction émotionnelle

Les perturbations émotionnelles qui s'opèrent lors de la puberté, pendant la grossesse et au moment de l'accouchement, on fait couler beaucoup d'encre et ont suscité l'intérêt de plusieurs spécialistes. Et pourtant, bien peu de chercheurs se sont penchés sur la frustration profonde qui peut résulter d'un allaitement saboté, ou sur l'immense satisfaction émotionnelle qu'engendre un allaitement réussi.

Et pourtant, si l'on savait le bonheur que l'on peut retirer de cette relation intense avec son bébé, on y penserait sûrement deux fois avant d'inciter une mère à le sevrer.

La plupart des femmes qui ont connu une période d'allaitement heureuse vous diront qu'elles se sont senties énormément valorisées. Comme disait une mère, lors d'une réunion de la

Ligue La Leche : *«C'est très valorisant de savoir que mon bébé ne peut se passer de moi, que la nourriture et la chaleur dont il a besoin viennent de mon corps.»*

D'autres femmes vous diront qu'elles ne se sont jamais senties aussi féminines. Mais il ne s'agit pas d'une féminité imposée par une forme de culture ou faussée par une société de consommation, mais d'une féminité dans son essence pure, guidée par sa biologie propre.

Souvent les femmes qui nourrissent ne comprennent pas celles qui donnent le biberon et font la remarque suivante : *«Elles ne savent pas ce qu'elles manquent !»*.

Les femmes qui allaitent deviennent, en général, plus réceptives, plus conciliantes et tolérantes face aux autres personnes. Même l'attitude envers le mari et les autres enfants peut quelquefois changer et s'améliorer. La maternité devient désormais une joie et non plus une corvée, comme c'est souvent le cas.

Ce sont celles qui ont fait l'expérience et du biberon, et du sein, qui peuvent témoigner le mieux de la satisfaction que peut apporter l'allaitement.

Voici ce que dit Lise F., mère de deux enfants: *«Bien que j'aie connu beaucoup de bonheur avec mon fils Éric et que je l'aime tout autant qu'Isabelle, je peux dire que ma relation avec ma fille est différente. Ce sont un tas de petits détails qui font cette différence. Lorsqu'elle est au sein et qu'elle me regarde droit dans les yeux et qu'elle arrête, tout d'un coup, pour me faire un grand sourire : ou encore qu'elle met sa petite main sur ma bouche pour que je la bécote pendant qu'elle est au sein. Ou bien qu'elle me caresse l'autre sein où joue avec un bouton de ma blouse. Lorsqu'elle pleure, c'est moi qui la console, ce n'est pas une suce ou un biberon, et tout ça est très valorisant.*

«Lorsqu'on allaite son bébé, il existe une sorte de complicité qui apporte beaucoup de bonheur.»

Le plaisir

Comme il arrive que certaines femmes n'éprouvent aucun plaisir à faire l'amour, certaines autres n'éprouvent aucun plaisir à nourrir leur bébé et, dans certains cas, peuvent même ressentir un certain dégoût. Il va sans dire qu'il est préférable pour ces femmes de donner le biberon avec amour, que le sein avec indifférence.

Les célèbres sexologues Master et Johnson ont établi une relation entre l'amour et l'allaitement. Selon eux, une femme qui choisit d'allaiter a, généralement, une vie sexuelle plus satisfaisante que celle qui donne le biberon. Peut-être est-ce parce qu'une femme qui aime donner le sein est plus à l'aise avec son corps ?

Au moment où le réflexe de sécrétion se met en marche, c'est à dire quand le lait monte dans les seins, la mère ressent un plaisir difficile à décrire, mais bien réel. Lorsque les seins sont vides, le bébé bien repu, le contentement se lit sur le visage de la mère et du bébé.

Bien que le plaisir d'allaiter soit différent de celui du coït, il n'en reste pas moins que c'est un acte très sensuel et qu'une femme à l'aise dans sa peau et heureuse d'être une femme, en retire, en plus d'une satisfaction émotionnelle, un certain plaisir physique.

Annie Leclerc, dans *Paroles de Femmes,* décrit bien cette sensation : *«C'est un bonheur spécifique dur et rond comme un beau galet. Un bonheur qui n'en rappelle ou n'en prévoit nul autre semblable. Un bonheur clos, entier. Et que l'on n'imagine pas que ce bonheur d'allaiter renvoie au plaisir de la caresse ou de la succion des seins dans l'acte sexuel, qu'il en serait comme une sorte de répétition attardée d'image inadéquate ou de préfiguration incertaine. C'est le corps qui est heureux quand le lait monte dans les seins comme une sève vivace, c'est lui qui est heureux quand le bébé tète».*

L'instinct maternel

Mais qu'est-ce donc qui fait que la mère qui allaite et son bébé soient si unis, si intimement liés l'un à l'autre ?

Les grands peintres ont souvent représenté la mère et l'enfant au sein comme le symbole de l'Amour pur. Certains poètes également ont comparé ces derniers à un couple d'amants. Plusieurs photographes en ont fait leur sujet favori. Il y a quelque chose de fascinant à regarder une mère et son bébé au sein.

Toutes les femmes qui ont l'expérience et du sein et du biberon s'accordent pour dire qu'elles se sentent plus près des enfants qu'elles ont allaités.

Pourtant, la femme qui allaite et celle qui donne le biberon sont souvent confrontées aux mêmes problèmes, face à un premier bébé : elles ont lu des livres qui se contredisent les uns les autres et, très souvent, elles ne croient pas à la méthode de leur mère et, par conséquent, ne peuvent s'y référer.

La femme qui allaite a, par contre, un avantage biologique sur celle qui nourrit au biberon : son système hormonal est différent et il est prouvé que la prolactine, responsable de la sécrétion du lait, rend la femme plus maternelle et l'oxytocine, qui déclenche le réflexe de sécrétion, est une hormone qui semble avoir un effet calmant, ce qui rend la maman plus sûre d'elle-même face à son petit.

C'est cette même hormone qui porte les animaux à lécher leurs petits, à les protéger et les nourrir sans que personne ne leur dise quoi faire.

On a fait des expériences sur des rats femelles vierges; on leur a injecté une certaine quantité de cette hormone prolactine, et on a remarqué qu'elles avaient soudain un comportement très maternel, qui les portait à s'occuper des petits des autres femelles.

On rapporte également le cas d'un policier qui fut victime d'un désordre au niveau de la glande pituitaire, ce qui eut pour effet d'augmenter la quantité de cette hormone de lactation. On observa chez lui une façon d'agir inhabituelle, en ce sens qu'il manifestait un comportement très maternel. Lorsqu'il fut soigné, cette façon d'être disparut automatiquement.

Je ne veux pas démontrer ici que les femmes qui allaitent sont de meilleures mères, car il y a bon nombre de femmes qui n'ont pas choisi l'allaitement et qui sont d'excellentes mamans. Mais il n'en reste pas moins qu'en général, les mamans qui nourrissent ont l'immense privilège de jouir davantage de leur maternité et de se sentir plus près de leurs petits. Niles Newton a fait une enquête auprès d'un certain groupe de femmes, et a remarqué que les femmes qui allaitent considèrent la maternité comme un privilège et que, d'autre part, les mères qui choisissent le biberon, en général, envient le sort des hommes et considèrent les enfants comme une entrave à la liberté.

L'aspect esthétique

Plusieurs femmes refusent aujourd'hui d'allaiter parce qu'elles ont peur de perdre leur taille et de voir leurs seins s'affaisser.

Pour ce qui est de la taille, la plupart des femmes reprennent leur poids d'avant la grossesse beaucoup plus vite en nourrissant leur bébé et cela, pour deux raisons principales : tout d'abord le processus de lactation provoque des contractions de l'utérus, ce qui permet de perdre son «petit ventre» plus facilement. Ces contractions permettent également à l'excès de tissus et de sang de s'évacuer plus rapidement et plus facilement. Lors des premières tétées, ces contractions sont assez évidentes et deviennent de plus en plus imperceptibles par la suite. Dans un deuxième temps, s'il est vrai que l'on se doit de consommer plus de calories pendant la période de l'allaitement, il est faux de croire que ce surplus vous reste sur le dos; l'organisme s'en sert pour fabriquer le lait et le bébé en prend une bonne partie en s'allaitant. Si le surplus est constitué d'aliments sains, il n'y a aucune raison de prendre du poids. Plusieurs femmes même, sujettes à l'obésité, voient, avec bonheur, leur poids réduire pendant cette période. La plupart des femmes sont d'ailleurs motivées à prendre de bonnes habitudes alimentaires et elles les conservent, une fois le bébé sevré.

Il reste que, pour plusieurs femmes, la peur de voir les seins perdre leur forme fait pencher la balance du côté du biberon. C'est là une bien mauvaise raison.

Pendant la grossesse, les seins augmentent de volume en proportion du poids acquis. Plus vous aurez gagné de poids, plus il y aura de risques que vos seins s'affaissent. C'est la grossesse qui fait que les seins tombent et non l'allaitement. Si vous choisissez le biberon, on vous donnera des médicaments pour arrêter le processus de lactation; ainsi vos seins changeront de volume d'une façon assez radicale, ce qui est souvent la cause des vergetures. Si vous allaitez et que vous laissez le bébé se sevrer d'une façon progressive, vos seins reprendront leur volume initial lentement et les risques de les voir s'affaisser seront moindres.

Voici ce que dit le Dr Hubert Sacksick, auteur du livre *«101 réponses aux femmes sur leur vie hormonale»* :

«Je n'ai pas de conseils à donner aux femmes qui accouchent, sinon qu'elles nourrissent le plus possible, non seulement pour l'enfant, mais dans

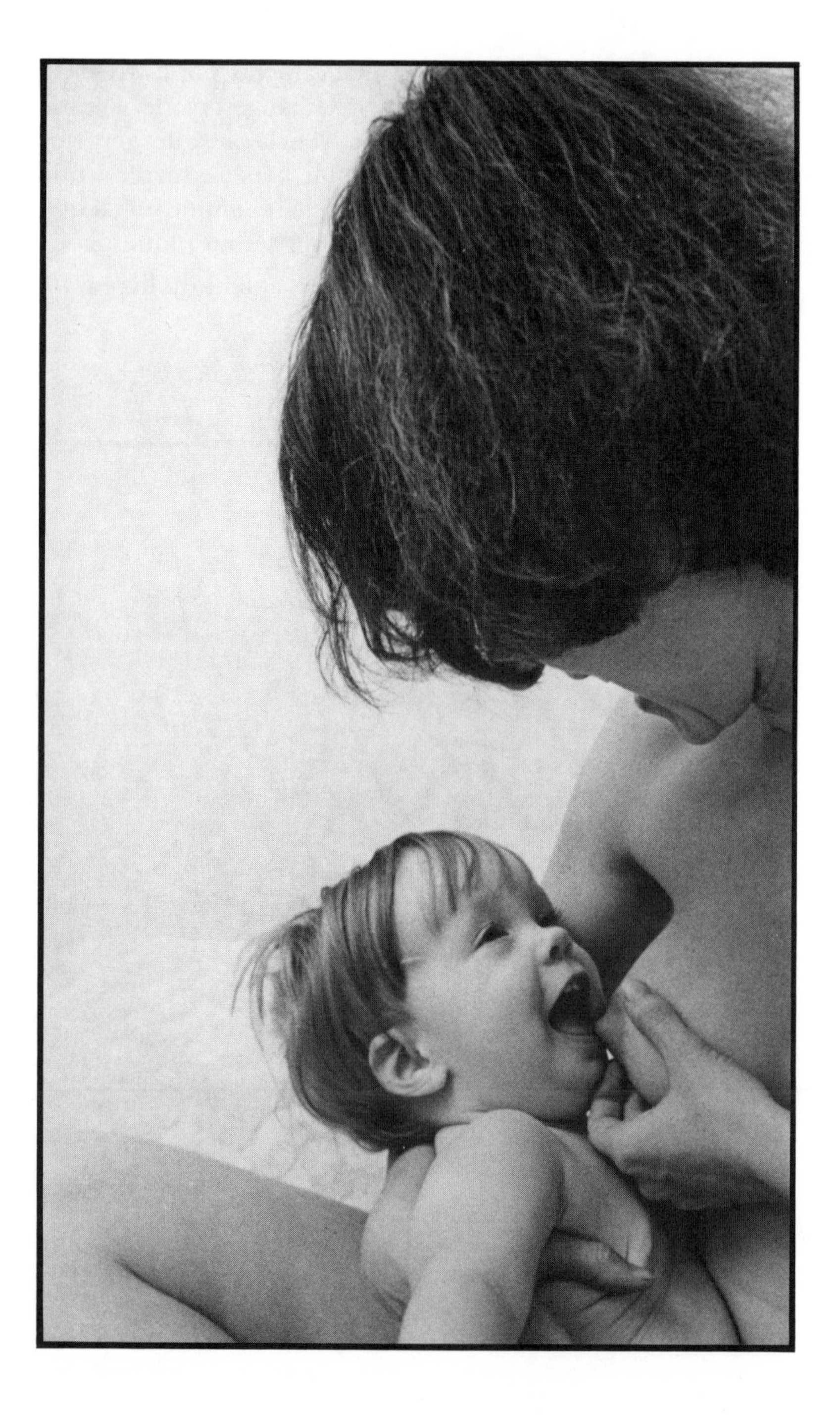

leur propre intérêt, sur le plan esthétique y compris; elles auront de plus beaux seins. Physiquement, localement, c'est mauvais de ne pas suivre la physiologie pour laquelle on a été fait. Ne pas allaiter c'est pratique, mais c'est couper le rythme physiologique pour lequel la femme a tout de même été conçue, et beaucoup de femmes qui ne nourrissent pas deviennent non pas frigides, mais insensibles des seins après le premier enfant. Alors que, très souvent, lorsqu'elles ont allaité, elles ne perdent pas forcément leur tonicité; elles n'auront ni vergetures, ni seins moins beaux. Au contraire, c'est en n'allaitant pas, en faisant ces fameuses compressions, complètement antinaturelles, en prenant des hormones qui perturbent leur physiologie pour supprimer la montée de lait, que les femmes s'abîment les seins».

La dépression post-partum

La maternité apporte une série de changements, quelquefois dramatiques, dans la vie d'une femme. Sa vie émotionnelle, sexuelle, sociale est bouleversée. Il s'ensuit, parfois un état d'anxiété et de dépression bénin et passager, qui dans certains cas, peut devenir tenace et plus sérieux.

Il semble que les principales causes de cette dépression, survenant surtout après un premier accouchement, soient le manque d'aide domestique, l'inexpérience de la mère et la séparation de la mère et de son enfant pendant le séjour à l'hôpital.

Chez les animaux, si, au moment de la naissance, on sépare les petits de la mère, il y a de fortes chances pour que celle-ci les rejette par la suite.

Après l'accouchement, si on sépare le bébé de sa mère, au moment où ils ont besoin l'un de l'autre, il se produit un choc qui peut avoir des conséquences émotives, trop souvent insoupçonnées.

La mère a besoin de sentir, voir, toucher son bébé et s'en occuper elle-même. Cette privation du début la rendra nerveuse et peu sûre d'elle-même lorsqu'elle retournera à la maison.

La femme qui allaite a l'avantage d'avoir son bébé avec elle à l'hôpital, au moins aux 3-4 heures, si ce n'est constamment. Ainsi, le passage de la vie intra-utérine à la vie terrestre se fait doucement, sans drame pour la mère et l'enfant. Ils apprennent à se mieux connaître, et lorsqu'ils arrivent à la maison, ils sont déjà des amis.

Des études ont démontré que l'allaitement est un antidote efficace contre la dépression, même et surtout s'il est poursuivi longtemps.

Le Dr Newton a fait une enquête auprès d'un certain nombre de femmes et en est arrivé aux conclusions suivantes : les femmes qui choisissent l'allaitement ont moins de tendances névrotiques et celles qui allaitent longtemps sont encore moins portées à la dépression.

CHAPITRE 4

Le merveilleux mécanisme de la lactation

L'anatomie des seins

Les seins varient de taille et de forme d'une femme à l'autre et cela n'a rien à voir avec la capacité de nourrir votre enfant. Que vous ayez de petits ou de gros seins, qu'ils soient coniques, ronds ou tombants, cela n'a aucune corrélation avec la production de lait.

L'aspect externe du sein

- *Le mamelon :* est le petit bout conique par lequel le bébé reçoit le lait. Chaque mamelon présente entre 15 et 20 orifices d'où sort le lait.

- *L'aréole :* est le cercle qui entoure le mamelon. Sa couleur peut varier, allant de rose à brun foncé, selon le teint de la personne. Pendant la grossesse, le diamètre de l'aréole augmente et un cercle apparaît que l'on nomme parfois l'aréole secondaire. Elle est entourée de petits points perceptibles à cause des glandes de Montgomery qui se logent sous le mamelon et qui augmentent de volume pendant la grossesse et l'allaitement.

La structure interne du sein

Le sein, composé de tissus glandulaires, est supporté par le muscle pectoral situé sous le sein.

- Directement sous l'aréole et derrière elle se trouvent les sinus lactifères sur lesquels le bébé exerce une pression avec sa bouche. Ils s'ouvrent à l'entrée du mamelon pour laisser sortir le lait, et le nombre peut varier entre 15 et 20.

- À l'extrémité de ces sinus lactifères se ramifient d'autres canaux, au bout desquels se trouvent des petits sacs appelés alvéoles, dans lesquels le lait s'élabore et que l'on nomme canaux lactifères.

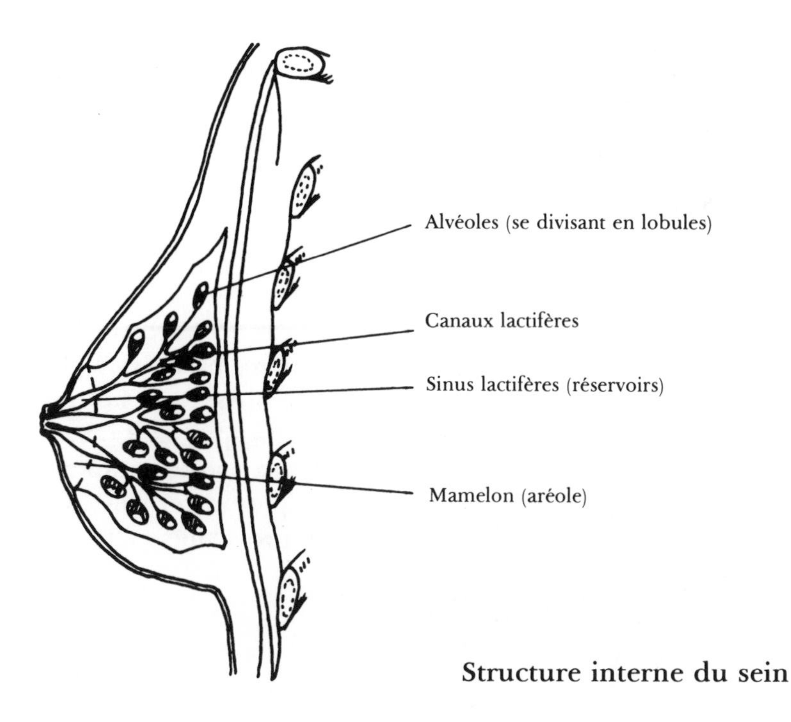

Structure interne du sein

- Ces alvéoles sont rassemblés en grappes qu'on appelle lobes et qui se divisent en lobules. Ces lobes se trouvent à la base du sein près de la poitrine. On en compte 15 à 20, chacun étant relié à un canal lactifère et chaque canal se vidant dans une des ouvertures du mamelon, qui sont au nombre de 15 à 20 également.

- L'espace qui entoure les lobes est occupé par du tissu adipeux. C'est cette graisse qui fait que les seins varient de volume d'une femme à l'autre.

Les changements dans les seins pendant la grossesse

Les seins commencent à changer pendant la grossesse, alors qu'ils se préparent pour leur tâche future. Le mamelon devient plus foncé, les veines se dilatent et sont désormais apparentes à travers la peau, le volume augmente et les seins s'alourdissent.

L'aréole augmente de diamètre et une espèce d'anneau se forme autour. Les tubercules de Montgomery augmentent de volume et rendent la peau un peu plus rugueuse; ce sont ces glandes qui lubrifient les mamelons pendant la tétée et, par conséquent, les nettoyer d'une façon trop rigoureuse pourrait les faire sécher et craquer. L'écoulement d'un liquide jaunâtre, le colostrum, peut se produire vers les derniers mois de grossesse.

Comment se fait le lait

- Une fois le placenta expulsé, le niveau d'oestrogène et de progestérone, dans l'organisme de la mère, baisse pour faire place à la prolactine. Sous l'action de l'hypophyse, cette hormone provoque la sécrétion du lait et semble être responsable du comportement maternel. C'est pour cette raison que les femmes qui nourrissent leurs bébés sont, en général, plus maternelles. Chaque fois que le bébé tète, cette hormone, prolactine, est relâchée dans l'organisme de la mère.

- Les alvéoles reçoivent un afflux supplémentaire de sang, augmentent de volume et sont visibles à travers la peau. Cette expansion est responsable de l'engorgement des premiers jours, surtout chez les femmes qui nourrissent à des intervalles trop espacés.

Réflexe de sécrétion ou d'éjection

- Lorsque le bébé tète, la glande pituitaire relâche une autre hormone, l'ocytocine.

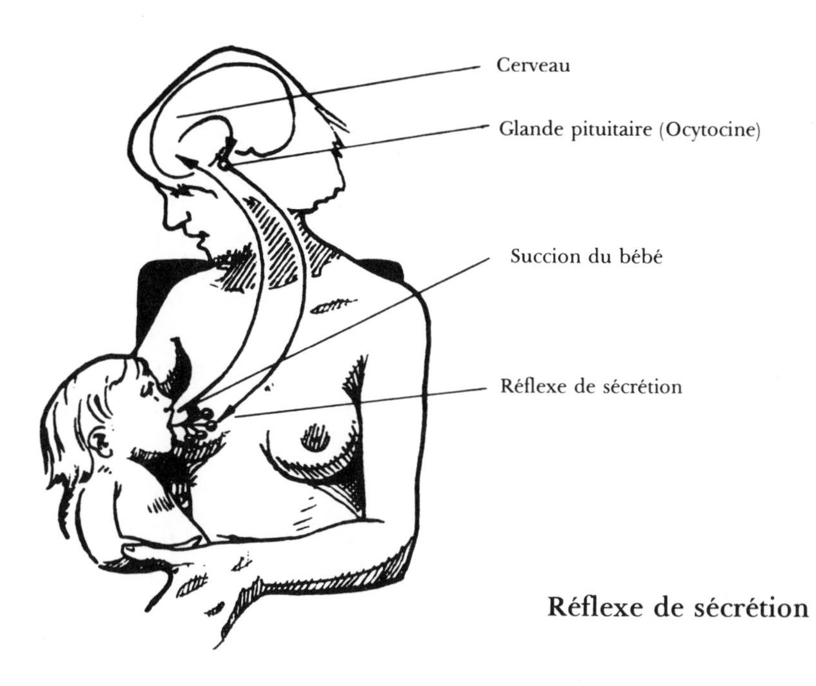

Réflexe de sécrétion

- L'ocytocine responsable des contractions utérines, fait également contracter les alvéoles où s'élabore le lait. Lorsque les alvéoles se contractent, le lait est envoyé dans les canaux lactifères.

- Ceux-ci se contractent à leur tour et envoient le lait au niveau du mamelon.

- Ce qui veut dire que la prolactine fait le lait mais c'est l'oxytocine qui le fait «descendre». Une femme peut donc avoir les seins pleins de lait, mais si le réflexe de sécrétion ne fonctionne pas, le lait restera congestionné dans les seins.

- Qu'est-ce qui fait qu'un réflexe ne fonctionne pas ? La glande pituitaire, responsable de la sécrétion de l'oxytocine, est elle-même contrôlée par l'hypothalamus.

- L'hypothalamus, situé dans le cerveau, est le siège des émotions; c'est donc dire qu'une émotion forte, une violente colère ou tout simplement un état d'anxiété, peut inhiber le réflexe de sécrétion.

- Comment peut-on savoir si notre réflexe fonctionne bien ? On le reconnaît à une sensation de picotement dans les seins. Il peut être presque imperceptible chez certaines femmes et presque douloureux chez d'autres. Cela se produit quelques secondes ou quelques minutes, même, après le début du boire. Lorsque l'autre sein coule pendant que le bébé tète, c'est un signe que le réflexe est en marche, et la contraction utérine en est un autre symptôme. Si votre bébé semble satisfait et engraisse normalement, votre réflexe est sûrement en bon état. Si votre bébé avale beaucoup en buvant c'en est un autre signe.

Le colostrum ou premier lait

Durant les derniers mois de grossesse, et pendant les premiers jours qui suivent l'accouchement, les seins sécrètent un liquide jaunâtre, appelé colostrum. Ce premier lait est plus facile à digérer et à assimiler que le vrai lait et s'avère, par conséquent, l'aliment idéal des premiers jours.

Nous n'insisterons jamais trop sur la valeur immunologique du colostrum. Riche en anticorps et en antitoxines, il protège le bébé contre les maladies et les infections, en particulier à virus. Il nettoie les voies intestinales du bébé, l'aidant à évacuer le méconium, cette substance verdâtre accumulée dans son intestin et constituant ses premières selles.

Ce premier lait contient moins de sucre et de gras que le vrai lait mais plus de protéines et de minéraux, de vitamine E et de vitamine A. Comme le bébé emmagasine peu de ces vitamines pendant sa vie intra-utérine, il est important de lui donner le colostrum du début.

Le Dr Jackson membre d'un comité de direction de la Ligue La Leche dit ceci : «Les manufacturiers n'arriveront jamais à reproduire le colostrum car celui du premier jour est différent du deuxième et du troisième; il s'adapte aux besoins du bébé de jour en jour et la proportion de ses constituants change graduellement.»

Toutes les femmes devraient nourrir leurs bébés, ne serait-ce que les premiers jours, afin qu'ils bénéficient des avantages du colostrum.

Le lait maternel : un merveilleux aliment

- Le lait de femme est d'apparence claire et bleuâtre au début de la tétée et plus épais et crémeux vers la fin, car il contient plus de gras. Cela est relié au mécanisme de l'appétit du bébé. Il pourra ainsi satisfaire sa soif et sa faim dans une même tétée. C'est

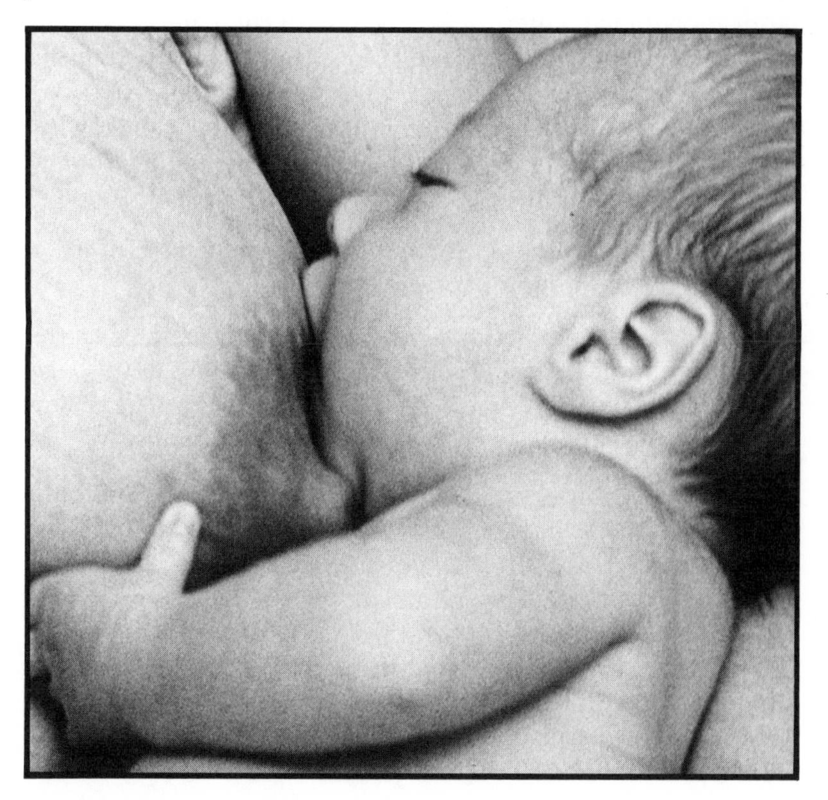

une des raisons pour lesquelles il est important de laisser l'enfant téter autant qu'il désire car même s'il prend moins de lait après quelques minutes, le lait est à ce moment là, plus riche en gras. Le lait maternisé, lui, a toujours la même consistance au début et à la fin de la tétée; c'est pour cela qu'on doit parfois donner un biberon d'eau au bébé nourri artificiellement. On ajoutera du sucre raffiné, très souvent, à cette eau ce qui n'est pas l'idéal.

- Les protéines du lait maternel forment de plus petits caillots dans l'estomac que celles du lait maternisé et sont plus faciles à digérer; elles sont utilisées à 100% alors que celles en trop du lait commercial, doivent être éliminées. C'est une des raisons pour laquelle on doit nourrir un bébé au sein plus souvent.

- Étant donné que le lait de femme contient deux fois plus de sucre que le lait de vache on doit ajouter du sucre raffiné dans la fabrication du lait maternisé. La lactose du lait maternel semble faciliter la digestion du bébé et créer un milieu acide dans les voies intestinales, ce qui a pour effet de le protéger des diarrhées et des gastro-entérites. De plus la lactose est un élément important dans le développement du cerveau et du système nerveux central.

- Le calcium du lait humain est plus facilement assimilé et plus adapté aux besoins du bébé.

- Le rapport entre la lactose, les sels et les minéraux est très bien dosé dans le lait maternel. Dans certains laits maternisés cet équilibre n'est pas toujours adapté aux besoins du bébé; le surplus doit être éliminé et surchargera parfois ses reins.

- Tous les composants du lait maternel aident à l'assimilation du fer. L'enfant peut absorber jusqu'à 50% du fer du lait de sa mère alors qu'il n'en absorbera que 4% du lait maternisé fortifié. Le Dr Frank Oski pédiatre réputé du New York Medical Center affirme même qu'il peut être nuisible de donner des suppléments de fer à un bébé nourri au sein; les capacités de fixation du fer deviennent alors surchargées par ce surplus et les bactéries peuvent se multiplier dans ces excès de fer, menaçant ainsi l'équilibre de son utilisation du fer.

- Le lait maternel contient surtout des gras non-saturés ce qui préviendra l'obésité et assurera au système cardio-vasculaire de l'enfant, un bon départ.

- On a longtemps cru que le lait de femme contenait très peu de vitamine D. Pour cette raison les pédiatres suggéraient de la donner sous formes de gouttes, certains allaient même jusqu'à déconseiller l'allaitement maternel pour cette raison. Les analyses avaient été effectuées sur la partie lipide du lait seulement. En analysant la partie aqueuse, on s'est rendu compte qu'elle contenait du sulfate de vitamine D. Les enfants nourris au sein ne deviennent jamais rachitiques, même ceux qui vivent dans les pays froids, car le lait contient suffisamment de vitamine D.

Le mot maternisé est un mot utilisé par les compagnies de formules. Il veut faire croire que c'est un lait devenu comme le lait maternel alors qu'il n'en est rien. Ces compagnies ne pourront jamais reproduire un lait identique au lait maternel. Et si jamais ils y parvenaient, arriveraient-ils à reproduire la chaleur du sein maternel ?

CHAPITRE 5

Préparation à l'allaitement pendant la grossesse

Une période d'allaitement ne s'improvise pas. Combien de femmes, bien déterminées à allaiter, ont dû cesser l'allaitement après quelques semaines ou même quelques jours, à cause d'un manque d'information ou à cause d'un médecin, ou d'un parent qui les a découragées, au premier obstacle rencontré. Il est donc très important de bien s'informer et de se préparer adéquatement.

Le choix du médecin

La plupart des médecins sont favorables à l'allaitement maternel et en reconnaissent les bienfaits.

Très peu sont carrément contre mais, d'autre part, peu de médecins sont familiers avec l'allaitement au point de savoir comment régler les difficultés qui peuvent parfois l'accompagner. Il suffit qu'un bébé pleure trop souvent, qu'une mère ait un peu de fièvre, pour qu'un médecin suggère et même quelquefois fasse pression pour que cesse l'allaitement. Un médecin qui ne connaît pas la différence entre un bébé nourri au biberon et un bébé nourri au sein, peut se méprendre facilement et considérer comme anormal ce qui est tout à fait normal. Par exemple, un pédiatre réputé, favorable à l'allaitement, fit sevrer plusieurs bébés sous prétexte que ceux-ci étaient atteints de diarrhées chroniques, alors qu'il s'agissait tout simplement de selles normales; les médecins bien renseignés savent parfaitement qu'un bébé, nourri au sein, peut présenter des selles très liquides et très fréquentes, sans qu'il y ait lieu de s'inquiéter. Une raison que les médecins invoquent souvent pour saboter l'allaitement est l'infection du sein, alors que des études ont prouvé que le mal se résorbe plus facilement si l'allaitement est poursuivi, et que cela ne présente aucun danger pour le bébé qui tète au sein affecté.

Voici quelques critères pour choisir votre obstétricien et votre pédiatre, il en existe d'excellents qui sauront vous apporter encouragement et soins adéquats.

- Essayez de savoir si plusieurs de ses patientes allaitent leurs bébés et si elles ont du succès. Si sa clientèle en comporte très peu et qu'elles n'allaitent pas longtemps, portez votre choix ailleurs.

- Posez-lui toutes les questions que vous avez à l'esprit. S'il prend le temps de vous répondre et que ses réponses vous donnent satisfaction, c'est un bon point. S'il vous donne l'impression de tout savoir et qu'il refuse le dialogue, changez.

- Si sa femme a allaité ses enfants avec succès, c'est probablement le meilleur critère. L'idéal serait une femme médecin qui a, elle-même, allaité avec succès. Malheureusement elles ne sont pas nombreuses.

Le choix de votre médecin est très important; il peut déterminer votre succès ou votre insuccès. Cependant, quelle que soit l'attitude de votre médecin, soyez ferme dans vos positions et ne vous laissez pas décourager. Si vous n'avez trouvé aucun obstétricien et pédiatre qui répondent à vos aspirations, adressez-vous aux femmes qui allaitent avec succès. Elles connaissent habituellement le nom de quelques médecins familiers avec les questions d'allaitement. Une fois votre obstétricien choisi, faites-lui part de vos projets d'allaitement. Discutez avec lui de l'accouchement; si vous désirez la cohabitation et l'allaitement sur la table d'accouchement, parlez-en avec lui; n'attendez pas la journée de l'accouchement pour lui présenter vos exigences.

La cohabitation et le choix de l'hôpital

Le succès de l'allaitement dépend souvent d'un bon départ; si la mère et l'enfant sont séparés au moment de la naissance, si on amène le bébé uniquement aux 4 heures et que, en plus, on lui donne des suppléments à la pouponnière pour le faire patienter entre les boires, l'allaitement ne sera pas nécessairement un échec, mais il sera certainement plus difficile. La mère, qui a la chance d'avoir son bébé avec elle tout le temps, aura probablement plus de facilité; elle offrira le sein sur demande, évitera, par conséquent, l'engorgement et verra sa production de lait augmenter plus vite. Des études ont démontré que les bébés qui partagent la chambre de leur mère, pendant le séjour hospitalier, sont moins exposés aux infections et aux maladies qui peuvent s'installer à la pouponnière. D'autres études ont établi que les femmes qui jouissent de la cohabitation ont beaucoup moins de gerçures aux mamelons, sont moins exposées aux infections du sein et allaitent plus longtemps et avec plus de succès que celles qui sont séparées de leurs bébés. Des enquêtes effectuées auprès des mères qui ont fait l'expérience de la cohabitation ont révélé qu'elles étaient plus liées aux enfants avec lesquels elles avaient cohabité.

Diane P., mère de trois garçons, commente son expérience de la cohabitation comme suit :

«Quand j'ai donné naissance à mon premier enfant, je ne voulais pas avoir mon bébé dans ma chambre, de peur de ne pas me reposer suffisamment, mais finalement, si l'on compte toutes les fois où l'on est dérangée par les infirmières, les médecins, les femmes de ménage, etc., on arrive à peine à faire une sieste ininterrompue par jour. En plus, j'étais toujours inquiète de mon bébé, il me manquait et je me retrouvais souvent debout, devant la glace de la pouponnière, ce qui est beaucoup plus fatigant que la cohabitation.

À mon deuxième bébé, je choisis la semi-cohabitation, c'est-à-dire que j'avais mon bébé avec moi pendant la journée, mais il retournait à la pouponnière pour la soirée et la nuit. Emballée par l'expérience, je pris les dispositions nécessaires pour avoir mon troisième bébé à plein temps, dans ma chambre. Je peux dire que la présence de mon bébé fut très stimulante, contrairement à la première fois où on ne me l'apportait qu'aux 4 heures. À ma sortie de l'hôpital, mon bébé n'était pas un inconnu, comme la première fois; nous étions déjà de bons amis.»

Les pères apprécient eux aussi la cohabitation, car ils peuvent prendre leur bébé, le bercer, le changer. C'est plus valorisant pour eux que de le regarder derrière une vitre.

Si vous n'êtes pas convaincue des avantages de la cohabitation, essayez, tout au moins, de voir si on peut vous apporter votre bébé à toutes les 3 heures. Certains hôpitaux, apportent même le bébé aussitôt que celui-ci pleure et lorsque la mère le demande. De toutes façons, prenez tous ces renseignements pendant votre grossesse, n'attendez pas à la dernière minute. Supposons que vous êtes enceinte de quelques mois, et vous vous rendez compte que votre médecin est attaché à un hôpital qui n'offre pas de conditions favorables pour les femmes qui allaitent, n'ayez crainte de changer; c'est votre droit le plus strict. Choisissez un médecin attaché à un hôpital plus avant-gardiste.

Vous informez votre mari

Il est évidemment très important que votre mari soit au courant de vos projets d'allaitement. Pour certains hommes, il est tout naturel que leur femme allaite et celle-ci n'a pas besoin de gros arguments pour le convaincre; chez certains couples, ce sont même les hommes qui doivent convaincre leur femme des avantages de l'allaitement. Par contre, certains maris prennent pour acquis que leur bébé sera nourri au biberon. Bien souvent ils n'ont jamais vu de femme allaiter; tous les bébés de la famille sont nourris au biberon et l'idée de l'allaitement ne leur a même pas effleuré l'esprit. La plupart se laisseront pourtant convaincre facilement et avoueront n'y avoir tout simplement pas pensé, et qu'il est, en effet, plus naturel de nourrir un bébé au sein qu'au biberon.

Il existe pourtant, il faut bien se l'avouer, des hommes qui sont tout à fait réfractaires à l'idée de l'allaitement maternel; pour toutes sortes de raisons qui relèvent de préjugés et de tabous, ils n'aiment pas l'idée d'un bébé qui tète au sein de sa mère; pour eux, le sein est associé uniquement au sexe et cela peut même leur répugner. Il vous sera certainement plus difficile d'allaiter votre bébé, si votre mari pense ainsi, mais il ne faut pas démissionner. Essayez de l'amener à l'idée en allant visiter une femme qui allaite avec succès. Laissez traîner un livre intéressant sur l'allaitement. Il existe habituellement des cours prénatals où les pères sont invités et où on y parle souvent d'allaitement. Si votre mari reste toujours en désaccord avec l'allaitement, il vous sera presque impossible d'allaiter votre bébé en toute détente, car une qualité importante d'une bonne nourrice est la capacité de se relaxer; si le désaccord de votre mari entraîne une tension dans le foyer, vous en souffririez et peut-être même votre bébé. Le bébé a droit au lait de sa mère et la femme a le droit de manifester son amour maternel par l'allaitement; mais il reste que les enfants ont davantage besoin, je crois, de parents unis que d'être allaités à tout prix. Si votre mari vous supporte totalement, même quand il y a difficulté, soyez reconnaissante, c'est un gage de succès.

Entrez en contact avec La Ligue La Leche *(prononcez lé-tché)*

Qui de mieux pour conseiller des femmes qui veulent allaiter leurs bébés, que d'autres mères qui ont allaité avec succès et qui savent comment se préparer à l'allaitement et comment surmonter les difficultés ?

La Ligue La Leche (*leche* signifiant *lait* en espagnol) est une organisation à but non lucratif qui existe maintenant dans près d'une cinquantaine de pays à travers le monde. Au moment où ces lignes sont écrites, 4 262 groupes sont actifs et plus de 14 000 conseillères y travaillent. Inutile de vous dire que depuis la fondation de la Ligue, l'allaitement redevient de plus en plus populaire. Cette organisation a aidé des milliers de femmes à allaiter leurs bébés.

Les monitrices de la Ligue sont des mères de famille qui ont allaité leurs enfants et qui connaissent, mieux que personne, les joies et les difficultés de l'allaitement. Jamais elles n'essaient d'imposer leurs idées; elles sont là pour donner l'information demandée et encourager la femme qui veut allaiter. Si vous êtes enceinte et désireuse d'allaiter votre bébé, entrez en contact avec elles au numéro suivant pour la région de Montréal : (514) 327-6714. Si vous habitez en province, elles vous donneront le numéro d'une monitrice habitant dans votre région. Si vous préférez écrire, l'adresse est la suivante :

Ligue La Leche du Canada
Service français
Casier Postal 874
St-Laurent, Qc
Canada H4L 4W3

Si vous habitez la France l'adresse est la suivante :

LLL France
Succursale postale 18
78620 L'Étang-la-Ville

Si vous habitez hors du Canada, écrivez au bureau central où tous les groupes à travers le monde sont enregistrés. Dites-leur exactement où vous habitez et l'on vous donnera l'adresse du groupe le plus près de chez vous.

La Leche League International
9616 Minneapolis ave.
Franklin Park,
Chicago, Ill. 60131, U.S.A.

Les différents groupes de la Ligue La Leche se réunissent, une fois par mois, pour discuter des sujets suivants :

1- Les avantages de l'allaitement pour la mère et le bébé.

2- L'art de l'allaitement et comment en surmonter les difficultés.

3- La naissance du bébé : son arrivée dans la famille.

4- La nutrition et le sevrage.

Profitez de votre grossesse pour assister à ces réunions; elles se font dans une ambiance chaleureuse et amicale. Celles qui assistent à ces rencontres ont généralement beaucoup plus de facilité à nourrir leur petit. Une fois le bébé arrivé, elles savent qu'elles peuvent téléphoner jour et nuit, si une difficulté survient, et à peu près toutes les questions y trouvent leurs réponses.

Dans les cas très urgents, la Ligue vient également en aide aux mamans. Par exemple, dans le cas d'un bébé qui ne tolère pas le lait de vache et dont la survie dépend du lait maternel, on lui en fournira si la mère n'allaite pas son bébé; on lui enseignera, par la suite, comment rétablir sa production lactée afin qu'elle puisse elle-même nourrir son bébé. On fait également la location de tire-lait électriques ou mécaniques pour celles qui doivent être séparées de leur bébé (prématurité ou maladie).

Vous avez tout avantage à entrer en contact avec La Leche. Vous y rencontrerez des femmes qui ont trouvé bonheur et épanouissement dans la maternité et qui vous communiqueront la joie d'allaiter.

Le soin des mamelons pendant la grossesse

Certaines femmes ne prennent aucun soin de leurs mamelons pendant la grossesse et pourtant ne ressentent aucune sensibilité lorsque le bébé tète. D'autres, par contre, auraient mieux fait de se préparer pendant la grossesse, spécialement les blondes, les rousses et celles qui ont le teint pâle.

Comme vous ne pouvez prévoir si vous aurez des problèmes de mamelons, il serait préférable de faire les exercices recommandés. Tout d'abord, pour ce qui est de l'hygiène, le bain ou la douche quotidienne suffit à garder les mamelons propres. Trop de savon aurait pour effet d'assécher la peau et de la rendre plus vulnérable. Pour les hydrater et les assouplir, vous pouvez les enduire d'une crème hydratante non parfumée ou d'huile d'amande pure.

- Attrapez votre mamelon entre le pouce et l'index et étirez-le jusqu'à ce que ce soit légèrement inconfortable. Rappelez-vous que tous les exercices ne doivent jamais être douloureux.

- Vous pouvez également fouetter vos mamelons de haut en bas avec le bout des doigts, afin de les endurcir.

Il est également recommandé, pendant les dernières semaines de la grossesse, d'extraire un peu de colostrum; cela a pour but d'ouvrir les canaux lactifères, ce qui facilite les premières tétées et évite l'engorgement lors de la montée laiteuse. Vous extrayez le colostrum de la même façon que votre lait lorsque vous laissez un biberon ou pour toute autre raison (voir chapitre 9). Ne vous en faites pas si rien ne se passe les premières fois; vous finirez pas en faire sortir au moins quelques gouttes.

Le massage du sein peut lui aussi aider à prévenir l'engorgement et stimuler la circulation. Le Dr Applebaum, pédiatre et spécialiste de l'allaitement, conseille à ses patientes de le faire deux fois par jour, 6 semaines avant l'arrivée du bébé : placez vos mains de chaque côté du sein et les pouces sur le dessus du sein, et glissez vos mains vers le mamelon de façon à ce que vos doigts se rejoignent. Vous pouvez enduire le sein d'huile de germe de blé pour en faciliter l'exécution. Faites précéder l'extraction du colostrum par le massage, vous aurez ainsi plus de facilité.

Le fait de rester les seins nus pendant une certaine période de la journée, peut aider énormément vos mamelons à s'endurcir. Le moment idéal serait après le bain ou la douche ce qui permettrait du même coup de bien laisser sécher les mamelons avant d'enfiler ses vêtements. Si cela vous est inconfortable, portez un soutien-gorge d'allaitement en laissant la «petite porte» ouverte de temps en temps, afin que vos mamelons s'aèrent et soient en contact avec les vêtements. On n'a jamais vu une Africaine ou une femme de tribu primitive avec des mamelons crevassés, car elles ont les seins à l'air presque constamment ou, si elles portent des vêtements, elles sont sans soutien-gorge; les mamelons frottent

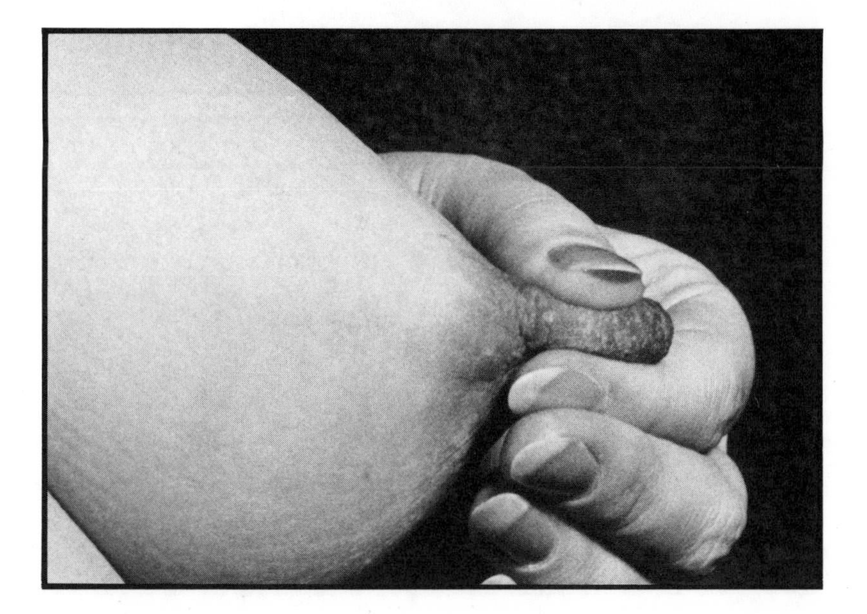

sur les vêtements et sont ainsi endurcis. Nos mamelons sont plus sensibles car ils sont constamment cachés dans des fibres synthétiques.

Certaines femmes décident d'allaiter à la toute dernière minute, quelquefois même sur la table d'accouchement. Tout au long de leur grossesse, elles n'avaient d'arguments qu'en faveur des biberons, mais à la vue de leur poupon elles sentent soudainement le désir d'allaiter. Malheureusement plusieurs mères

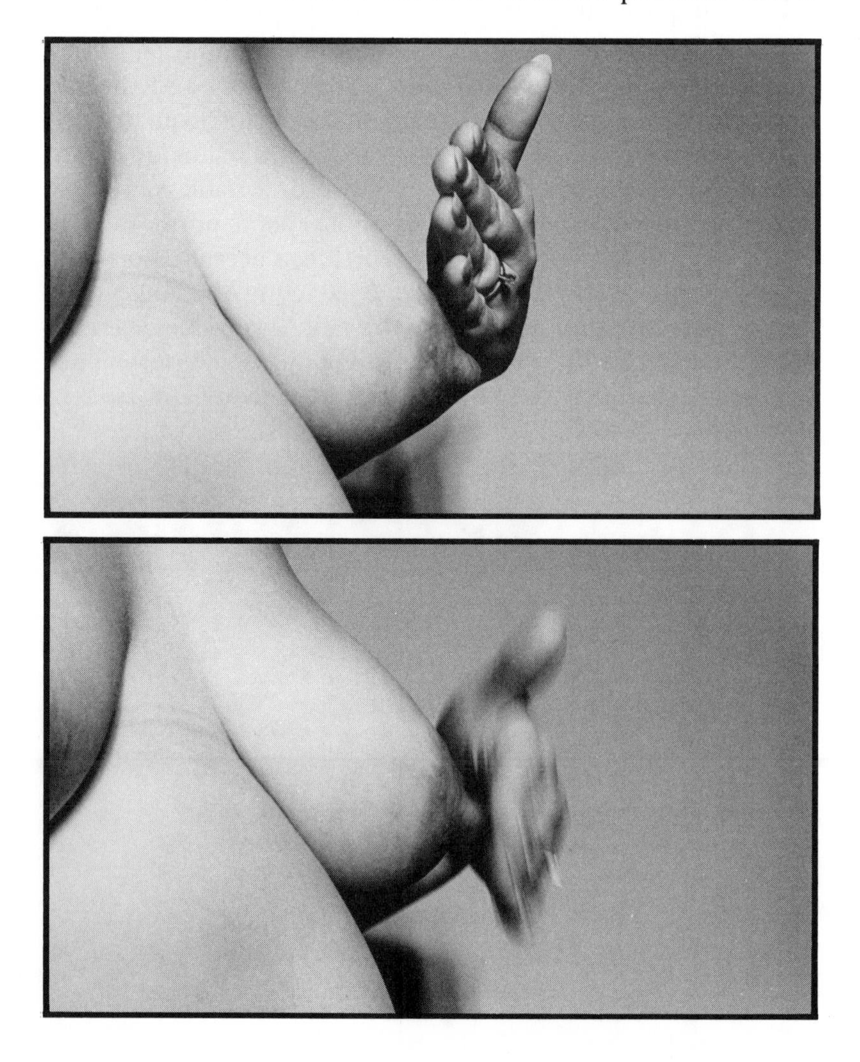

refoulent ce désir parce qu'elles n'ont pas préparé leurs seins. La préparation prénatale des mamelons est sûrement un atout dans votre jeu, mais ce n'est pas une condition absolument nécessaire. Allez-y; allaitez tout de même votre petit. Il est fort possible que vous ne rencontriez aucune difficulté. De toutes façons si jamais vous aviez des problèmes, il sera toujours possible de les régler.

Pour les soins à donner aux mamelons creux, voir chapitre sur les «Situations particulières».

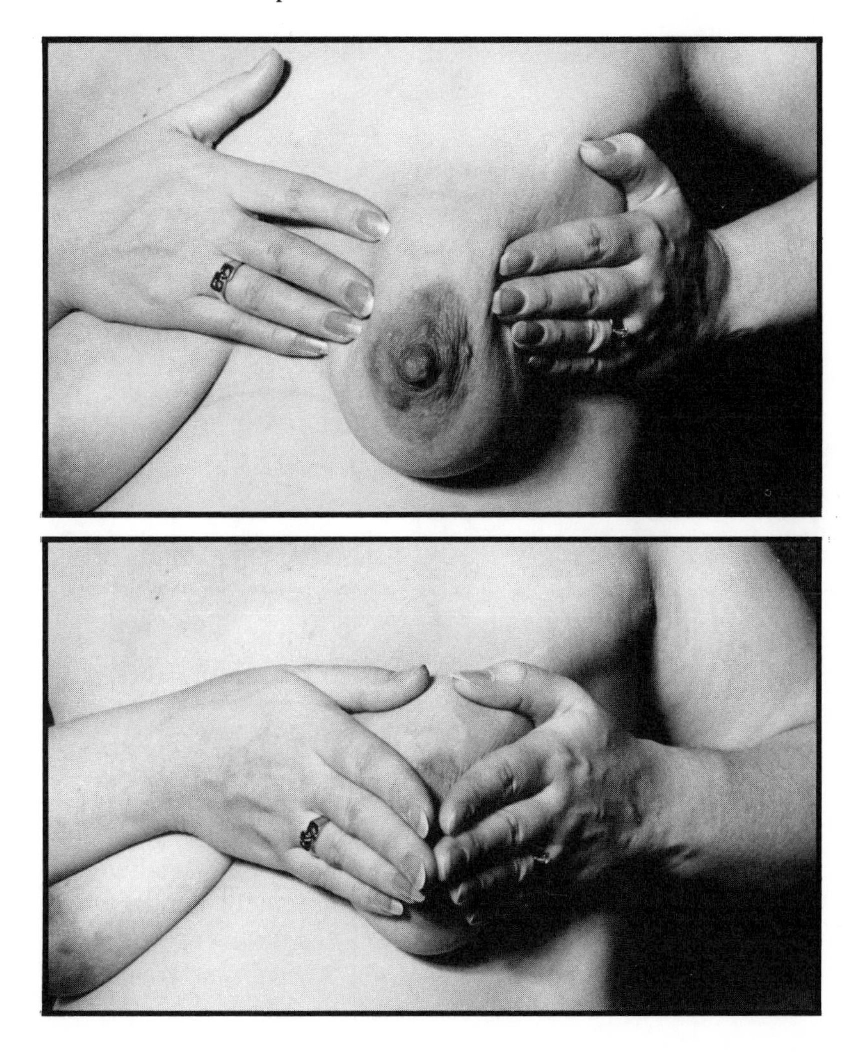

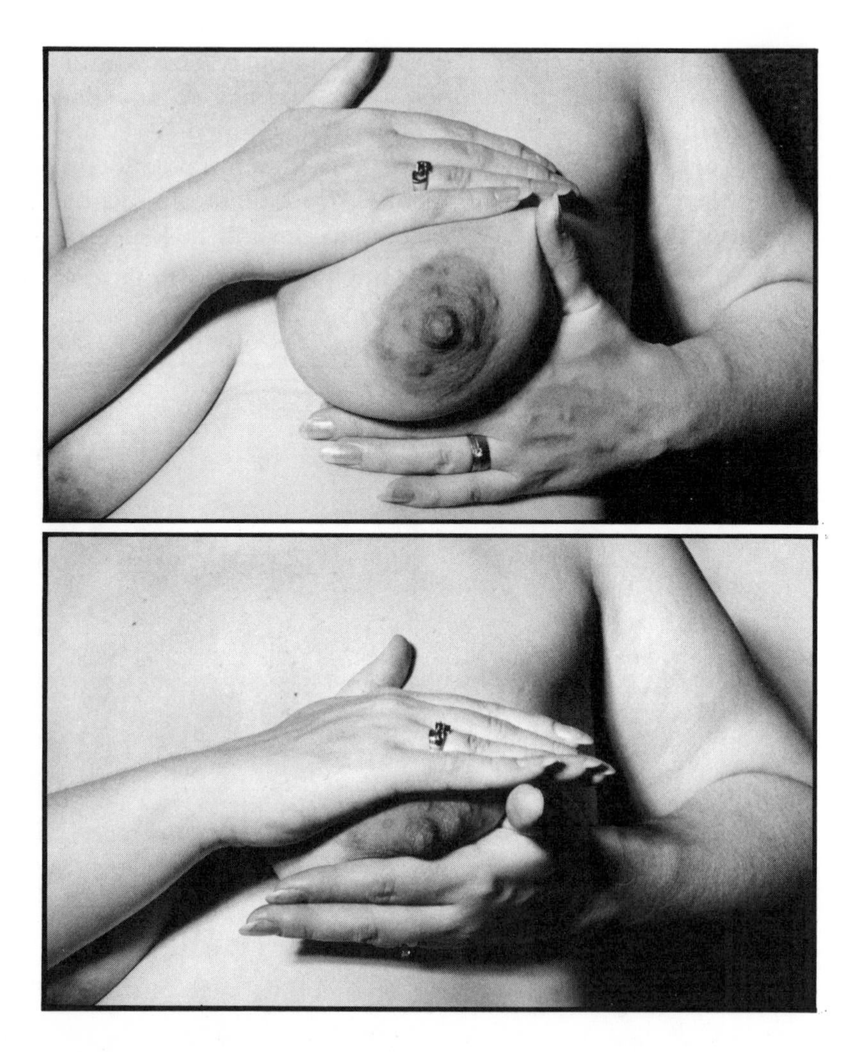

L'importance de la nutrition pendant la grossesse

Une étude australienne a établi un rapport étroit entre la qualité de la diète pendant la grossesse et la durée de l'allaitement. Parmi les femmes qui s'alimentaient sainement pendant leur grossesse, 74% allaitaient au moins jusqu'à 7 mois, et parmi celles qui se nourrissaient plutôt mal, 6% seulement poursuivaient l'allaitement aussi longtemps.

Si votre menu était bien équilibré avant votre grossesse, il n'y a pas de raison de changer vos habitudes, sinon d'augmenter les portions. Par contre si vous aviez l'habitude d'ignorer le petit déjeuner et de compenser par des pâtisseries et du café au milieu de l'avant-midi, voyez-y dès maintenant; c'est votre santé et celle du bébé qui en dépendent. C'est le temps plus que jamais d'acquérir de bonnes habitudes alimentaires, car une fois le bébé arrivé, vous aurez suffisamment de changements auxquels vous devrez vous adapter.

- Commencez par éliminer tout ce qui est eaux gazeuses, thé, café, sucreries, fritures.

- Remplacez par exemple le pain blanc par le pain de blé entier, le riz blanc par le riz brun, les céréales raffinées du matin par le gruau d'avoine ou la crème de blé, les légumes en conserve par des légumes frais, les desserts riches par les fruits frais.

- Insistez sur les produits laitiers riches en calcium et en protéines. Si vous n'aimez pas le lait, remplacez-le par le yogourt, le fromage. Les sardines constituent également un apport important en calcium.

- Les produits riches en fer sont également à conseiller (foie, jaune d'oeufs, abricots secs).

- Voici ce que recommande le Guide alimentaire canadien pour la femme enceinte ou allaitante :

3-4 portions de **lait et produits laitiers.**

Quelques exemples d'une portion :

- 250 ml. de lait
- 175 ml. de yogourt
- 45 gr. de fromage

2 portions de **viande, poisson, volaille et substituts.**

Quelques exemples d'une portion :

60 à 90 gr. après cuisson de viande maigre, de poisson, de volaille ou de foie.
60 ml. de beurre d'arachide
250 ml. après cuisson de pois secs, de fèves sèches ou de lentilles

125 ml. de noix ou de graines
60 gr. de fromage cheddar
125 ml. de fromage cottage
2 oeufs

3-5 portions de **pains et céréales** (de préférence à grains entiers)

Quelques exemples d'une portion :

1 tranche de pain
125 ml. de céréales cuites
175 ml. de céréales prêtes à servir
1 petit pain ou muffin
125-175 ml. après cuisson de riz, macaroni, spaghetti ou de nouilles.

4-5 portions de **fruits et légumes.**

Quelques exemples d'une portion :

125 ml. de légumes ou de fruits (frais, congelés ou en conserve)
125 ml. de jus de fruits ou de légumes
1 pomme de terre, carotte, tomate, pêche, pomme, orange, banane de grosseur moyenne.

Une alimentation saine et équilibrée pendant la grossesse veut dire un accouchement et un allaitement plus faciles, une mère et un bébé en meilleure forme.

Le choix de vêtements et de soutien-gorge

Il est important de porter un bon soutien-gorge pendant la grossesse et pendant la période d'allaitement. Vers la fin de votre grossesse, procurez-vous deux bons soutiens-gorge d'allaitement. Ceux-ci sont munis d'une petite «porte» détachable afin de nourrir votre bébé en toute discrétion et en tout confort. Il en existe de très beaux, tout aussi seyants que votre soutien-gorge habituel. Pour celles qui ont les mamelons sensibles, il est recommandé de porter un soutien-gorge en coton blanc; il n'est pas ce qu'il y a de plus «sexy», mais celui en nylon risque de garder l'humidité et provoquer des gerçures. De toutes façons, évitez tous ceux qui contiennent une doublure de plastique. Choisissez-le un peu plus grand, car le volume de vos seins augmentera lors de la montée laiteuse. Si votre soutien-gorge est trop serré, il risque d'appuyer sur certains canaux lactifères et d'empêcher, ainsi le lait de couler librement. Certaines femmes préfèrent enlever leur soutien-gorge au moment de la tétée, tandis que d'autres se sentent inconfortables, surtout les premières semaines, lorsque les seins sont plus lourds; c'est à vous de juger. Utilisez toujours un savon doux et rincez bien vos soutiens-gorge, et tous vêtements qui entrent directement en contact avec le mamelon; évitez absolument l'eau de javel.

Prévoyez quelques vêtements pour votre séjour hospitalier et pour les premières semaines à la maison, alors que vous n'aurez

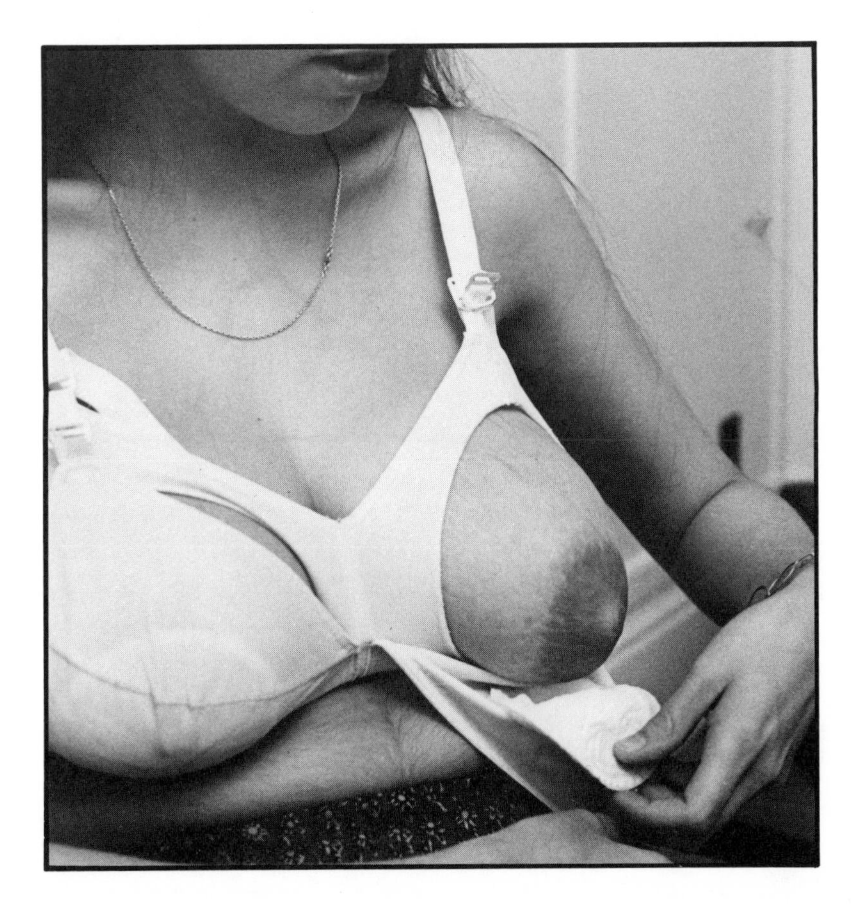

peut-être pas le temps ni l'énergie de magasiner. Si vous achetez des chemises de nuit ou des pyjamas pour votre séjour à l'hôpital, veillez à ce qu'ils soient pratiques pour allaiter. Certaines femmes préfèrent utiliser les jaquettes d'hôpital; elles les enfilent comme une blouse, en les mettant dans le sens contraire, c'est-à-dire l'arrière en avant.

Prévoyez quelques deux-pièces (blouse-pantalon, jupe-gilet) pour votre rentrée à la maison. Comme vous n'aurez probablement pas repris votre taille, les tissus extensibles sont l'idéal. Des jupes avec un élastique à la taille, des pantalons de ratine, etc. Un long peignoir, muni d'une fermeture-éclair à l'avant, fera l'affaire pour allaiter en toute détente.

CHAPITRE 6

Votre séjour hospitalier

Ça y est ! Ces longs mois d'attente vont bientôt porter fruit. Vous sentez les premières contractions et le temps venu, vous vous rendez à l'hôpital. Dès votre arrivée, un interne ou une infirmière vous examine afin d'évaluer le travail déjà fait. À ce moment-là, il est opportun de faire part de votre intention d'allaiter, afin qu'aucune drogue, susceptible de supprimer la sécrétion lactée, ne vous soit administrée. À l'arrivée de votre accoucheur, rappelez-lui, même s'il en a déjà été informé, que vous désirez allaiter votre bébé.

L'accouchement

L'accouchement naturel est sûrement le prélude idéal à l'allaitement maternel. Les premières heures qui suivent la naissance sont très importantes, si l'on veut établir une bonne relation entre la mère et son bébé. Au moment de l'accouchement, la mère est dans un état de réceptivité très grande et le réflexe de succion du bébé est à son maximum. Lorsque la mère reçoit des analgésiques, elles est moins portée vers son bébé et

celui-ci est généralement peu intéressé au sein maternel. Les bébés manifestent les effets de certains analgésiques jusqu'à trois semaines après la naissance. Des expériences faites sur des animaux démontrent que ceux-ci rejettent leurs petits, si l'accouchement est fait sous anesthésie.

Si votre état et celui du bébé le permettent, il est important de lui donner une tétée sur la table d'accouchement; cette tétée est très bénéfique au plan psychologique pour la mère et le bébé, car elle atténue le choc de la naissance; elle adoucit le passage de la vie intra-utérine à la vie terrestre. Des études sérieuses affirment que moins la mère et l'enfant sont séparés à la naissance plus ils sont attachés l'un à l'autre par la suite. Sur le plan physique, cette pratique facilite l'expulsion du placenta, car la succion du bébé fait contracter l'utérus de la mère. Elle peut également prévenir l'engorgement, qui se manifeste chez celles qui allaitent trop tardivement, et elle accélère la montée laiteuse. Et même si le bébé ne boit que quelques cuillères à thé de colostrum, ce précieux liquide va l'aider à évacuer le méconium, l'empêcher de régurgiter et d'aspirer le mucus, présent dans l'estomac du bébé au moment de la naissance. Si on vous refuse, insistez. C'est *votre* bébé et aucune loi ne peut vous empêcher de le prendre si vous le désirez.

Si votre bébé est né à terme et en bonne santé il n'y a aucune raison pour qu'on ne vous laisse pas l'allaiter immédiatement après l'accouchement. Si toutefois votre médecin insiste pour qu'il reçoive de la chaleur artificielle suggérez-lui d'apporter une lampe, que le personnel installera au-dessus de lui pendant la tétée.

Certains bébés ne semblent pas intéressés à téter au moment de la naissance, même si l'accouchement s'est fait d'une façon tout à fait naturelle. Ne vous en faites pas, si c'est le cas de votre bébé, il peut tout simplement avoir envie d'être près de vous et être trop fatigué pour téter. Vous vous reprendrez un peu plus tard.

Les premières tétées

On vous apportera votre bébé probablement entre 3 et 12 heures après l'accouchement. Évidemment, plus tôt vous l'allaiterez, plus tôt apparaîtra votre montée laiteuse. Cela dépend de votre état, de celui du bébé et de la routine de l'hôpital. Votre montée laiteuse se fera sentir entre deux et cinq jours après l'accouchement. Les femmes qui jouissent de la cohabitation et qui, par conséquent, nourrissent sur demande, verront leur «vrai lait» apparaître plus vite. De toutes façons, même si vous sentez vos seins vides, ne croyez pas que cela ne vaille pas la peine de donner le sein, bien au contraire; le colostrum des premiers jours est vital pour votre bébé et ces tétées permettent à vos seins d'être stimulés et à votre bébé d'apprendre à téter. Rappelez-vous que moins longtemps vous serez séparée de votre bébé, plus vous aurez de chances d'établir dès le départ une bonne relation avec lui.

Lorsqu'on vous apporte votre bébé pour la première fois, prenez tout votre temps afin d'être à l'aise et confortable. Si vous êtes embarrassée de nourrir devant votre compagne de chambre, demandez à l'infirmière de tirer les rideaux ou d'apporter un paravent. Vous pouvez nourrir assise ou étendue; c'est à vous de décider. Il n'y a pas de position idéale. Il suffit que votre bébé et vous soyez parfaitement à l'aise. Si vous vous assoyez, choisissez le fauteuil à bras qui se trouve habituellement dans les chambres d'hôpital, ou encore assoyez-vous tout simplement dans votre lit; si c'est le cas, mettez un ou plusieurs oreillers derrière vous, afin de supporter votre dos et votre tête. Mettez également un oreiller sous le bras qui soutient le bébé, ou encore pliez vos genoux et faites reposer le corps du bébé sur vos cuisses.

Si vous vous couchez, demandez à l'infirmière de déposer le bébé à côté de vous; faites lever les côtés du lit. Mettez-vous sur le côté afin d'être face à face avec votre bébé et passez votre bras sous sa tête; un oreiller derrière vos reins peut aussi vous rendre plus confortable, mais il est parfois difficile d'être à l'aise de cette façon, lors des premières tétées. Généralement, c'est une position que les femmes adoptent lorsqu'elles sont un peu plus expérimentées. Pour les premières fois, la plupart des femmes préfèrent être assises.

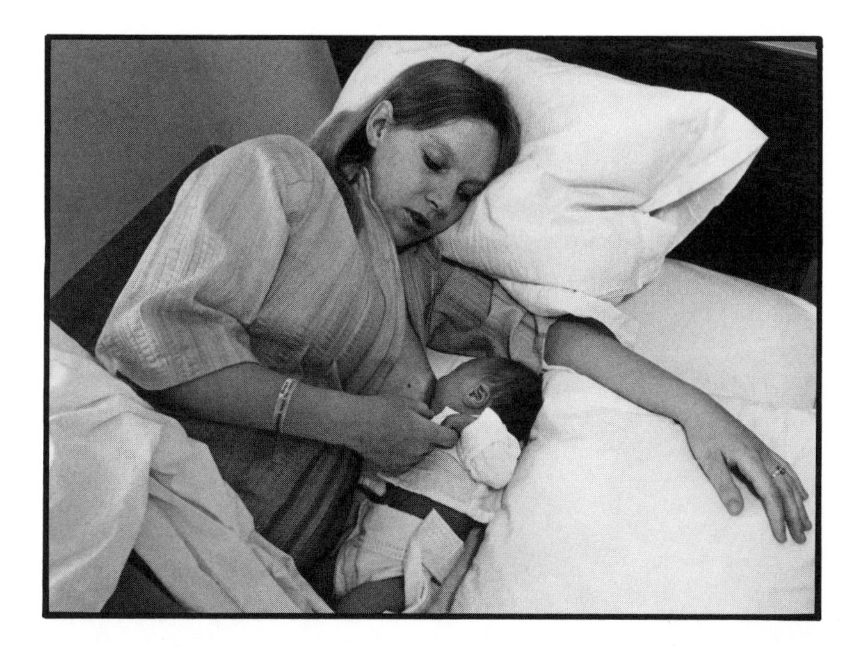

Attendez d'être bien à l'aise et bien détendue avant de mettre votre bébé au sein. Rapprochez votre bébé du sein et, avec votre main libre, dirigez le mamelon vers sa bouche. Mais ne poussez jamais sa tête vers le mamelon. S'il ne tourne pas la tête vers le sein, toucher sa joue de votre doigt ou de votre mamelon et il se retournera de ce côté. Faites attention de ne pas obstruer son nez avec le sein, surtout lors de la montée laiteuse, alors que les seins sont parfois volumineux. S'il le faut, appuyez sur votre sein avec le bout des doigts, pour en dégager le mamelon. Il peut arriver que les seins soient si gros que votre bébé ait de la difficulté à saisir le mamelon. Extrayez un peu de lait à la main ou au tire-lait, afin de lui faciliter la tâche. Si vos seins sont douloureux, parce que trop pleins, et que l'heure de la tétée n'est pas encore arrivée, parlez-en à votre infirmière et demandez-lui gentiment de vous apporter votre bébé, afin de vous soulager. Un sourire peut, quelquefois, vous ouvrir bien des portes.

Autant que possible, donnez les deux seins à chaque tétée et commencez par le côté où vous avez terminé. Cela est très important, surtout pendant votre séjour hospitalier, car si on

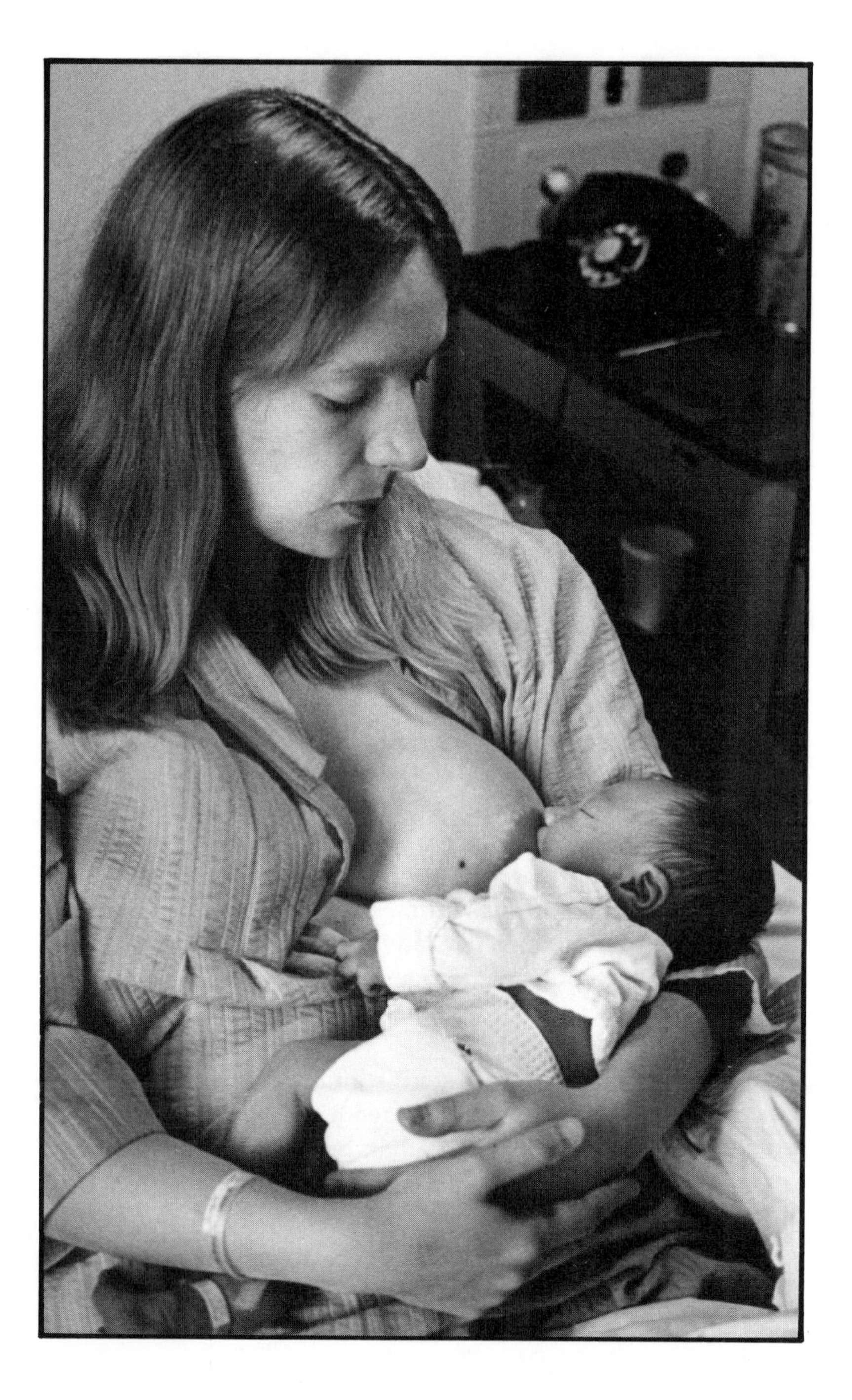

vous apporte votre bébé aux 3-4 heures, et que vous ne donnez qu'un seul sein, l'autre restera de 6 à 8 heures sans être vidé et risque, par conséquent, l'engorgement. Épinglez votre soutien-gorge du côté où vous avez terminé, si vous craignez ne pas vous rappeler.

Si vous voulez arrêter le boire pour faire passer un rot au bébé, n'essayez pas de tirer le mamelon de sa bouche, car il s'aggrippera davantage et risquera de vous faire mal. Placez tout simplement votre doigt dans le coin de sa bouche, afin de briser la succion.

Pour faire passer le rot, tenez votre bébé contre vous, sa tête sur votre épaule, et massez ou tapotez doucement son dos. Certaines femmes pensent que plus elles frappent fort, plus le bébé fera de gros rots. Il n'en est rien, cela risque tout simplement de l'ennuyer. Ou encore, assoyez-le, en lui soutenant le menton. Déposez toujours un linge propre sur vous, au cas où il régurgiterait. Ne vous inquiétez pas si cela se produit, c'est tout à fait normal; si la couleur est jaunâtre, cela est dû au colostrum des premiers jours.

Combien de temps chaque sein ?

Certains hôpitaux limitent, d'une façon très rigoureuse la durée des premières tétées. Les Dr Michael et Niles Newton, spécialistes des questions d'allaitement, ont démontré que cette pratique de limiter les tétées à cinq et parfois une minute, dans le but de diminuer les chances d'irritation des mamelons, produit la plupart du temps l'effet contraire.

Durant les premiers jours, le réflexe de sécrétion peut mettre jusqu'à plusieurs minutes à se mettre en marche. Si vous enlevez le sein avant qu'il se soit produit et que le lait n'ait pas eu le temps de descendre, vous aurez comme résultat un bébé frustré parce qu'il ne prend pas tout le lait qu'il désire, une sécrétion lactée plus longue à s'établir et, quelquefois même, des seins engorgés. Les femmes qui jouissent de la cohabitation n'ont pas à se plier à ces règlements.

Il ne faut évidemment pas tomber dans l'excès contraire et laisser le bébé au sein indéfiniment les premières fois. Les femmes qui ont le teint foncé ou qui n'en sont pas à leur première expérience d'allaitement, n'en subiront peut-être aucune conséquence. Mais ce n'est pas le cas de toutes les femmes.

L'idéal pour endurcir les mamelons est de donner des tétées plus courtes, mais plus fréquentes ou encore, si une tétée dure 20 minutes ou plus, par exemple, il est bon d'alterner toutes les 5 minutes de chaque côté les premiers jours, puis graduellement toutes les 10 puis 15 minutes.

Si une sensibilité apparaît, limitez la durée de la tétée à dix minutes. Par la suite, augmentez graduellement le temps de la tétée, selon l'état de vos mamelons et votre endurance. Souvenez-vous que limiter le temps de la tétée à une ou deux minutes, ne peut qu'aggraver des mamelons sensibles, car vous ne leur laissez pas le temps de s'endurcir.

L'horaire

La plupart des hôpitaux apportent le bébé à toutes les 3-4 heures, selon les endroits. Par contre, certaines infirmières ont la gentillesse de vous apporter votre poupon si celui-ci a faim, même si ce n'est pas l'heure de la tétée. Soyez reconnaissante envers ces infirmières, elles sont probablement très au courant des questions d'allaitement. Rappelez à votre infirmière de vous apporter votre bébé au moins une fois la nuit; cette tétée est très importante pour votre sécrétion lactée et pour votre petit également. Rappelez à votre pédiatre de donner des instructions à la pouponnière pour qu'on ne donne aucune formule, ou eau sucrée à votre bébé. Cela est très important, car ces pratiques vont souvent à l'encontre d'un bon départ dans l'allaitement. C'est très souvent la cause d'un bébé endormi, qui ne semble pas intéressé à téter. Si c'est le cas voir chap. 8 «Difficultés».

L'hygiène des mamelons à l'hôpital

La plupart des hôpitaux sont maintenant bien renseignés en ce qui concerne l'hygiène des mamelons et vous pouvez vous fier à leur pratique. Au cas où l'hôpital où vous accoucherez ne se soit pas encore mis à la page, suivez les recommandations suivantes.

Évitez tout ce qui est savon, alcool, teinture de benjoin ou tout médicament qui aurait pour effet d'irriter la peau tendre des mamelons. La seule hygiène acceptable est de nettoyer les mamelons avec de l'eau tout simplement. Si vous désirez appliquer une crème entre les tétées, assurez-vous qu'elle ne contienne ni parfum, ni médicament.

Votre séjour à l'hôpital est important, jusqu'à un certain point; il vous permet de faire connaissance avec votre bébé et de vous familiariser avec l'art de l'allaitement maternel; mais ne vous fiez pas à ces quelques jours pour évaluer votre succès.

Les premières tétées sont des tétées de «pratique», si l'on peut dire, et même si vous n'êtes pas satisfaite du résultat, cela peut prendre quelques jours encore, et même quelques semaines, avant de vous adapter à votre bébé. Certaines femmes ont beaucoup de difficulté à allaiter leurs bébés pendant leur séjour hospitalier, mais lorsqu'elles reviennent à la maison, il leur est plus facile d'allaiter, étant alors plus détendues. De toutes façons, essayez de retirer le maximum de votre séjour hospitalier. Mais dites-vous bien qu'aussi agréable et compétent que soit le personnel, rien ne vaut la chaleur du foyer pour créer une bonne relation avec votre bébé.

CHAPITRE 7

Votre retour à la maison

Le retour à la maison

Ne soyez pas surprise, lors de votre rentrée chez vous, si vous sentez des modifications au niveau de votre sécrétion lactée. Un changement entraîne, très souvent, une certaine fatigue et une tension émotionnelle, ce qui a pour effet de diminuer la production de lait. Si le bébé semble plus maussade, donnez-lui le sein plus souvent pour quelques jours, et tout rentrera dans l'ordre. Par contre, chez d'autres femmes, c'est l'effet contraire qui se produit; elles se sentent plus à l'aise et plus heureuse chez elles et voient, par conséquent, leur production de lait augmenter. Surtout ne prenez pas panique à la moindre fluctuation. Il y aura des jours où vous aurez plus de lait qu'il en faut, d'autres pas assez; des jours où votre bébé vous semblera un ange, d'autres où rien ne réussira à le consoler. Ne sautez pas sur le biberon à la moindre petite difficulté; cela ne règlera rien. L'allaitement a sûrement ses petits inconvénients, mais si on tient compte des multiples avantages, il vaut la peine de faire les efforts nécessaires pour en profiter pleinement.

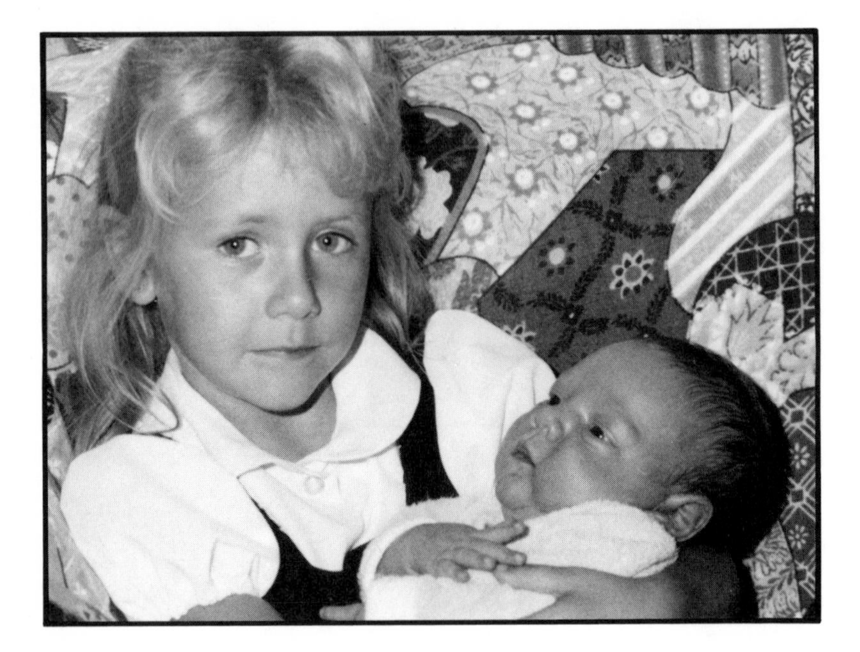

Le repos et l'aide domestique

Autrefois, lorsque à peu près toutes les femmes allaitaient, le séjour hospitalier était beaucoup plus long que maintenant et, une fois à la maison, elles avaient l'ordre de rester au lit pendant plusieurs jours, sans se lever, et parfois même plusieurs semaines.

Aujourd'hui, les femmes sont à peine rentrées chez elles qu'elles essaient de faire leur travail et de vaquer à leurs occupations coutumières. Il n'est donc pas surprenant que tant de femmes ne réussissent pas à allaiter leur bébé.

Si vous désirez faire un succès de l'allaitement, il est très important d'avoir de l'aide, au moins pour les premières semaines. Votre mari pourra peut-être prendre deux semaines de vacances, ou votre mère ou votre belle-mère se fera probablement un plaisir de venir vous donner un coup de main. Mais assurez-vous qu'elles viennent bien pour vous aider et non pour «jouer à la mère» avec le bébé. Vous avez besoin de quelqu'un pour faire les repas, les lavages, le ménage, mais c'est à vous et à votre mari à vous occuper du bébé. Une amie très «en moyens» avait engagé une infirmière spécialisée pour l'aider à récupérer; elle se retrouva vite au poêle, en train de préparer le dîner de l'infirmière, pendant que celle-ci s'occupait du bébé. Ce n'est sûrement pas de ce genre d'aide que vous avez besoin. Si vos moyens financiers sont assez limités, demandez à votre famille et à vos amis de vous donner de l'argent comme cadeau, plutôt qu'un amour de petit berceau avec ciel de lit en dentelle, ou marchette, balançoire et autres gadgets de bébé. Dans les pays où l'allaitement est chose courante, cela est normal qu'une femme ait de l'aide pendant plusieurs semaines voire même plusieurs mois.

Lors de votre retour à la maison, passez les premiers jours au lit, sans vous lever. Vous gardez votre bébé près de vous et tout ce que vous avez à faire est de l'allaiter. Comme le Dr B. Spock le disait : *«La mère prend soin du bébé et la maisonnée prend soin de la mère»*.

Pour bien conditionner votre réflexe de sécrétion, il est important de vous reposer et de relaxer.

Si vous ne pouvez vraiment pas avoir de l'aide après votre accouchement, ce qui est malheureusement le fait de bien des femmes, ne perdez jamais une chance de vous reposer et faites un choix très judicieux des tâches que vous jugez essentielles.

Même lorsque vous commencez à reprendre vos activités, faites le plus important et laissez le reste de côté pour un certain temps. Il est plus important que votre mari et vos enfants aient des vêtements propres et des repas nourrissants, que de faire briller les parquets et les fenêtres.

Voici quelques petits trucs pour vous faciliter l'existence et vous permettre de prendre la vie du bon côté :

- Utiliser les couches de papier, du moins pour les premières semaines.

- Lorsque vous préparez un repas, faites le double de la recette et congelez-en une partie. Vous aurez des repas déjà préparés, lorsque vous vous sentirez débordée.

- Gardez des aliments en conserves dans la dépense pour vous dépanner lorsque vous avez faim, et que vous n'avez rien de prêt : thon en boîte, ragoût, etc. Tout ce qui est riche en protéines. Il est important de ne pas rester sur sa faim lorsqu'on allaite.

- Procurez-vous une mijotteuse électrique où vous pouvez y mettre vos légumes, viandes, légumineuses sans vous en occuper. C'est une bonne façon de préparer des mets nourrissants en très peu de temps.

- Achetez-vous de la vaisselle de carton pour les jours où le bébé est plus exigeant. Voir un tas de vaisselle sale n'est pas toujours stimulant pour le moral.

- Pensez plutôt à vous offrir lave-vaisselle, sécheuse et laveuse automatique qu'un nouveau mobilier de salon. Épargnez-vous le plus de travail possible, pour le moment, et consacrez ce temps-là à votre famille. Vous avez plusieurs années devant vous pour décorer votre maison.

- Si vous n'avez personne pour faire l'épicerie, commandez par téléphone. Il n'est pas sage de rester longtemps sur vos jambes, les premières semaines.

Plus vous travaillerez durant les premières semaines, plus vous mettrez de temps à récupérer, par la suite. Rappelez-vous que le ménage et toutes les autres activités seront toujours là, tandis que les bébés, eux, grandissent tellement vite !

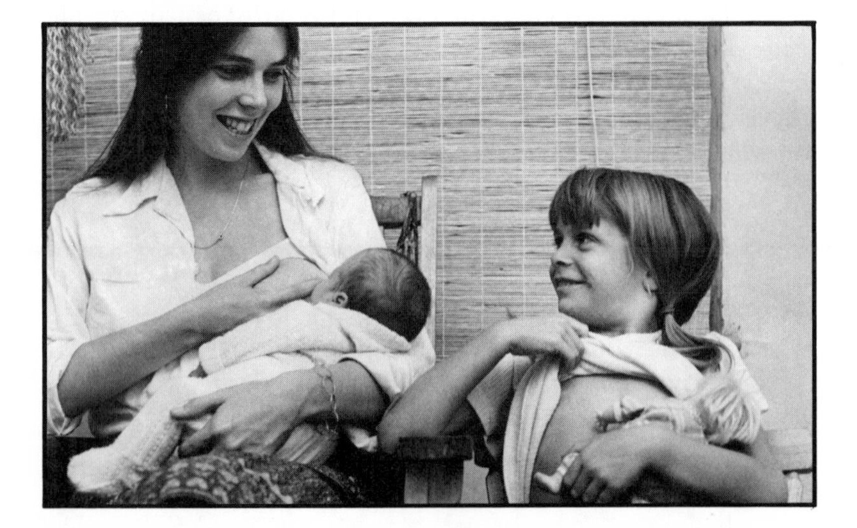

L'horaire des premières semaines

Ce n'est que depuis l'apparition des biberons et l'accouchement dans les hôpitaux que les horaires de 4 heures sont devenus à la mode. Le personnel se relayant à toutes les 8 heures, donne ainsi deux boires chaque fois, ce qui facilite l'organisation. Il est, pourtant, tout à fait anti-biologique de donner le sein aux 4 heures; des études ont démontré que le lait maternel est digéré au bout d'une heure, une heure et demie. Alors que le lait de vache prend environ deux heures et demie, trois heures. Ce qui explique qu'un bébé nourri au sein doit boire plus souvent que celui nourri artificiellement. Une femme qui imposerait un horaire rigide de 4 heures entre les tétées à son bébé, aurait avantage à donner le biberon. De plus, la mère d'un nouveau-né n'a très souvent que 30 à 60 ml de lait dans les sinus lactifères : donc le bébé doit boire souvent pour prendre le lait nécessaire (cf. préface).

Plusieurs femmes laissent pleurer leur bébé afin que celui-ci se plie à l'horaire qu'elles ont fixé. Un tout petit bébé ne peut pas comprendre de telles exigences et les contractions provoquées par la faim sont très douloureuses, à cet âge-là. Voici ce que me racontait Mme Béatrice L., mère d'une petite fille de deux mois :

«Pendant deux mois, j'ai cru que Mélissa avait des coliques. Environ vingt minutes après son boire, elle se mettait à hurler et j'étais certaine qu'elle présentait tous les symptômes de coliques. Jusqu'à ce qu'une monitrice de la Ligue La Leche me conseille de la mettre au sein lorsqu'elle hurlait comme ça. Depuis ce jour, c'est le bébé le plus satisfait qui soit. Je m'imaginais qu'il était impossible qu'elle ait soif, étant donné qu'elle venait à peine de téter. Elle avait besoin de ce petit repos de vingt minutes, pour prendre un dernier «p'tit coup» avant de s'endormir profondément.»

Durant les premières semaines, il est très important de mettre le bébé au sein aussi souvent que celui-ci le demande, et aussi longtemps qu'il veut téter. C'est lui qui décide et non la mère. C'est la règle numéro un pour réussir l'allaitement. D'ailleurs, la plupart des problèmes reliés à l'allaitement découlent du fait que le bébé n'est pas nourri sur demande. Il existe, par contre, certains bébés qui doivent être réveillés, car ils peuvent dormir 4-5 heures entre les boires. Par contre s'il mouille au moins six bonnes couches et qu'il prend du poids normalement, il n'est pas nécessaire de le réveiller. Mais si ses couches sont plutôt sèches, mettez-le au sein plus souvent.

Les premières semaines sont généralement difficiles et exigeantes, pour une nouvelle maman, surtout si c'est sa première expérience d'allaitement maternel. Mais, si durant les six premières semaines, on a nourri le bébé sur demande, à ce moment-là, la sécrétion lactée est bien stimulée et le bébé commence à se faire, de lui-même, un horaire raisonnable. La satisfaction émotionnelle à nourrir son bébé commence alors à se faire sentir réellement. C'est pour cette raison qu'il est primordial d'avoir de l'aide durant ces premières semaines, souvent décisives pour établir une bonne relation mère-enfant. Si vous manquez d'aide ménagère, prévoyez toujours de nourrir votre bébé avant d'accomplir une tâche. Par exemple, le matin lorsque vous devez préparer vos enfants pour l'école, ce n'est pas le moment de nourrir le bébé; vous devez, tout de même, consacrer un peu de temps aux autres membres de la famille. Faites sonner le réveil environ une demi-heure avant l'heure prévue; prenez le bébé au lit et nourrissez-le. Vous pourrez préparer votre marmaille en paix, car au moins, vous serez certaine que bébé n'aura pas faim. Faites la même chose avant de préparer vos repas; cela vous permettra, du même coup, d'étendre vos jambes et de relaxer.

Les tétées de la nuit

Votre bébé a besoin de boire la nuit, du moins les premières semaines et vos seins ont également besoin de cette stimulation. Il est difficile de dire à quel âge il laissera tomber les tétées de la nuit. Cela varie d'un enfant à l'autre et n'a généralement rien à voir avec le fait que vous donniez des solides ou non.

Pendant les premières semaines, il sera plus facile pour vous d'installer le berceau de bébé près de votre lit. Lorsqu'il se réveille, vous n'avez alors qu'à étirer le bras, le prendre et l'amener avec vous, dans votre lit; certaines femmes somnolent même, pendant la tétée. Mettez-lui deux bonnes couches et vous n'aurez pas du tout à vous lever. Pour faire passer un rot sans avoir à vous lever, couchez-vous sur le dos, placez le bébé de façon que, ses jambes reposant sur le lit, son estomac s'appuie sur votre hanche et tapotez-lui le dos. De cette façon, les tétées nocturnes ne seront pas aussi tragiques qu'on veut souvent nous le faire croire. Il existe quelquefois un esprit de compétition chez les mères. Ne comparez pas votre bébé avec celui des autres. On ne peut pas blâmer une femme qui donne le biberon, de vouloir que bébé fasse ses nuits au plus vite, si on considère qu'elle doit se lever, se réveiller complètement, courir au réfrigérateur, faire réchauffer le biberon et s'asseoir pour le donner au bébé. Si vous réveiller la nuit vous contrarie vraiment, le bébé peut le ressentir et cela peut provoquer, chez lui, un sentiment d'insécurité qui le portera à se réveiller davantage. Prenez ça calmement, et dites-vous que tout passe. Rattrapez-vous, pendant le jour, en faisant une sieste.

Les poussées de croissance

Vers l'âge de deux, trois et six semaines environ, il peut arriver que votre bébé semble constamment insatisfait et que vous ayez l'impression que votre lait ne le contente plus. Au moment de ce que l'on appelle «une poussée de croissance», l'appétit de votre bébé augmente, tout à coup, et votre sécrétion lactée ne répond pas à ses besoins. Mettez l'enfant au sein aussi souvent qu'il le désire, à toutes les heures s'il le faut. Après quelques jours d'un allaitement aussi intensif, votre production de lait rejoindra de nouveau ses besoins (rappelez-vous : plus le bébé tète, plus vous aurez de lait) et vous pourrez allonger les intervalles entre les tétées.

Il peut également se produire le même phénomène vers l'âge de trois mois. Si votre bébé est né à terme, et est en bonne santé, il est encore trop tôt pour introduire les solides. Faites la même chose, nourrissez-le plus souvent pour quelques jours. Il ne faut pas oublier qu'à cet âge-là, un bébé commence à avoir besoin de compagnie et d'activité. Si, en dehors des tétées, il passe son temps dans son berceau, il risque de s'ennuyer et de pleurer plus souvent qu'il ne devrait.

Le poids et la pesée du bébé

Contrairement à la mère qui donne le biberon, celle qui nourrit au sein peut se sentir angoissée de ne pas savoir combien de grammes prend son bébé, par tétée. Certaines femmes vont jusqu'à peser le bébé avant et après la tétée. C'est un processus bien inutile, car la quantité peut varier énormément d'une journée à l'autre, et même d'une tétée à l'autre.

Si votre bébé boit régulièrement, s'il mouille complètement au moins six couches par jour, si ses selles sont normales (voir paragraphe suivant), si son teint est bon, ses yeux brillants et ses mouvements alertes, il n'y a aucune raison de vous inquiéter. Vous pouvez toujours surveiller la courbe de son poids une fois par mois, avec votre médecin, si vous n'êtes pas rassurée. Le *«Complete Pediatrician»,* considéré comme la bible des pédiatres, reconnaît comme normal un gain de 114 à 200 grammes par semaine. Un peu plus ou un peu moins est également normal. Il est évidemment recommandé de peser plus fréquemment un bébé particulièrement placide et dormeur. S'il ne prend pas suffisamment de poids, des tétées plus fréquentes s'imposent.

N'essayez jamais de comparer le poids de votre bébé avec celui d'un autre bébé. Les enfants, comme les adultes, sont des individus et chaque individu a ses particularités. Un bébé nourri au biberon peut, quelquefois, paraître plus gros qu'un bébé du même âge nourri au sein. Ce n'est pas nécessairement un signe de santé. Bien au contraire. On rencontre rarement un bébé nourri au sein exclusivement, souffrant d'obésité; alors que l'on voit très souvent des bébés nourris au biberon suralimentés.

Même deux bébés nourris au sein peuvent difficilement être comparés. C'est le cas des jumeaux de Jeanne H., deux garçons pesant, à la naissance, 2 kg 200 et 2 kg 100 et dont le poids, à six mois variait de 900 gr. Pourtant, les deux étaient en excellente santé, avaient été nourris exclusivement au lait maternel, par la même femme, à la même fréquence.

À moins que votre bébé ne soit particulièrement petit ou dormeur, ne vous en faites pas trop avec son poids. C'est lui qui sait le mieux combien de lait il a besoin. (Bébé qui n'engraisse pas assez voir chap. 8).

Les selles

Les selles d'un bébé nourri au sein sont très différentes de celui nourri au biberon. Elles sont généralement informes et quelquefois même très liquides, sans qu'il ne s'agisse pour autant de diarrhée. La couleur peut varier, de jaune moutarde, à vert foncé. La fréquence des selles est très variable d'un bébé à l'autre. Certains bébés ont des selles à toutes les tétées, d'autres à tous les jours, et certains autres uniquement à toutes les semaines; si, dans ce cas, les selles sont molles, il ne s'agit absolument pas de constipation. Très souvent chez le même bébé la fréquence peut varier sans qu'il y ait lieu de s'inquiéter.

Par exemple, au début il peut avoir une selle à toutes les tétées, ensuite pendant quelques semaines seulement une fois par jour et en vieillissant une fois par semaine.

«À mon premier bébé je me suis beaucoup inquiétée car plusieurs personnes de mon entourage étaient certaines que mon bébé souffrait de diarrhée. Ses selles étaient tellement liquides que je ne pouvais pas croire que cela était normal. Mon médecin me rassura en me disant qu'on peut facilement se méprendre avec les selles d'un bébé nourri au sein.»

Toutefois il peut arriver qu'un bébé au sein souffre de diarrhée. S'il a plus de douze selles par jour, si elles ont une forte odeur ou contiennent du mucus ou des particules de sang, alors il y a de fortes chances que ce soit de la diarrhée. Consultez votre médecin mais n'arrêtez pas l'allaitement. Cela peut être relié à un rhume ou à une infection quelconque.

«Mon deuxième enfant, commença à avoir des selles environ à tous les huit jours, vers l'âge de quatre mois. Cela dura environ deux mois jusqu'à ce qu'il commence les solides. Bien que je savais que cela était possible et normal, je le fis confirmer par mon pédiatre.»

Il peut arriver qu'un bébé manifeste quelques difficultés à faire sa selle et soit maussade à ce moment-là, mais si elle est molle, il ne faut pas croire qu'il soit constipé. La constipation, chez un bébé nourri au sein, pourrait signifier qu'il ne reçoit pas assez de lait. Allaiter plus souvent règle généralement le problème.

Vos autres enfants

L'allaitement est une bonne façon de commencer à éduquer vos enfants plus âgés sur la façon de bien se nourrir et aussi si vous le jugez à propos d'apporter certaines notions sur la sexualité. Les autres enfants seront sûrement heureux d'apprendre qu'ils ont déjà eux aussi été à la place du bébé, qu'ils ont connu ce contact avec maman. Si vous n'avez pas allaité vos autres enfants et qu'ils vous questionnent à ce sujet, rassurez-les de votre amour et du fait que la seule raison fut votre manque de connaissance à l'époque où ils sont nés. Si aux yeux des autres enfants, le bébé semble privilégié montrez-leur qu'ils ont le privilège d'être le grand frère ou la grande soeur en faisant quelque chose de spécial avec eux : jouer aux cartes, téléphoner à grand-maman, etc... en lui faisant remarquer que bébé n'a pas la chance de faire ces choses-là.

Il ne faut surtout pas que vos autres enfants se sentent repoussés ou à l'écart parce que vous allaitez. C'est un moment idéal pour leur raconter une histoire par exemple, puisque vous avez une main libre. Ou encore, rassemblez du papier de couleur, des ciseaux, des crayons, de la colle, etc., et tout ce qui peut les intéresser et les garder assis et calmes. Mettez tout ça dans une belle boîte de carton que vous aurez décorée; ce sera la boîte à surprise réservée au moment de la tétée. Changez-en le contenu, de temps en temps, pour garder leur intérêt. De cette façon, l'heure de la tétée sera un moment agréable pour tout le monde. Il peut arriver qu'un de vos enfants veuille téter lui aussi. La meilleure façon de le décourager, c'est de le laisser essayer. Il se rendra compte que ce n'est pas aussi palpitant que le bébé veut le laisser croire. Si vous lui refusez, vous renforcerez son désir. Mais

cela ne durera probablement pas, si vous lui offrez quelque chose d'amusant à faire pendant ce temps-là. Il existe un livre intéressant qui regorge d'idées de toutes sortes pour occuper les enfants : *«Que faire quand on n'a rien à faire ?»* aux Éditions Fernand Nathan. Mais il ne faudrait tout de même pas laisser vos enfants gâcher votre expérience d'allaitement, comme cela s'est produit dans certaines familles. Les enfants peuvent, quelquefois, vous faire marcher et devenir manipulateurs. Il faut rester douce mais ferme, ignorer les mauvais coups et encourager les bons. Vous avez le droit d'allaiter votre bébé et celui-ci a droit au lait de sa mère.

Essayez d'avoir une étudiante qui vienne les promener de temps en temps, afin de pouvoir allaiter le bébé en paix. Vous sentirez le besoin de vous retrouver toute seule avec votre petit, de temps à autre. Après le dîner, ou la fin de semaine, votre mari peut les sortir et les gâter un peu, afin qu'ils ne se sentent pas trop à l'écart.

Votre vie sociale

Durant les premières semaines, restreignez vos activités sociales au minimum. Par contre, si les murs de votre maison semblent vous tomber sur la tête, acceptez quelques invitations, mais n'en donnez pas pour le moment. Recevoir peut vous fatiguer plus que vous ne le pensez; vous avez besoin de toute votre énergie pour allaiter.

Choisissez des sorties où vous pouvez emmener votre «petit poupon». Un bébé nourri au sein s'amène partout et est généralement très sage, si sa maman est tout près. Si vous devez le laisser, nourrissez-le juste avant de partir et essayez de revenir pour la tétée suivante; sinon extrayez votre lait et laissez un biberon. Faites-le le moins possible, surtout durant les premières semaines, car votre bébé a besoin de votre présence et pourrait préférer le biberon, si l'occasion revenait trop souvent. Attendez que votre sécrétion lactée soit bien stimulée avant de laisser un biberon.

Voici quelques suggestions pour passer des heures agréables, tout en emmenant bébé avec vous :

- Une visite chez des amis ou des parents chez qui le bébé est bienvenu, peut avoir un effet bénéfique pour le moral. Si vous êtes mal à l'aise d'allaiter devant les gens, retirez-vous dans une autre pièce durant la tétée. Un ensemble pratique, genre deux-pièces, vous permettra de nourrir en toute discrétion. En relevant votre gilet ou votre blouse, du bas vers le haut, le bébé cachera ainsi la partie découverte.

- Une soirée au cinéma en plein air vous permettra d'emmener bébé et de l'allaiter, au besoin, dans l'auto. Installez un petit lit d'auto sur la banquette arrière et apportez-vous un coussin pour appuyer votre bras.

- Quelques heures au centre d'achat peuvent quelquefois suffire à chasser les idées noires. Vous pouvez toujours nourrir dans la salle de repos des dames ou dans la salle d'essayage.

- Une promenade jusqu'au parc le plus près peut vous faire grand bien, ainsi qu'à votre petit. Apportez-vous un petit casse-croûte et un peu de lecture et, au besoin, nourrissez votre bébé à l'écart, sur un banc ou au pied d'un arbre. Un manteau style «poncho» facilitera un allaitement discret.

- Un bébé au sein s'amène bien en camping.

- Une simple balade en auto avec votre mari vous reposera et vous distraira.

Ne sortez jamais, ne serait-ce que pour une heure, dans un vêtement qui rendrait l'allaitement difficile. Même s'il vient juste de boire, votre bébé, se sentant dépaysé, peut réclamer le sein à tout moment. Ne vous laissez pas surprendre.

L'attitude mentale

Il va sans dire que, plus vous serez déterminée à allaiter et convaincue des avantages, plus vous passerez facilement au travers des difficultés. Même si l'allaitement est une période merveilleuse dans la vie d'une femme, il ne va pas sans quelques petites contraintes. Il vous faudra les accepter avec joie et philosophie.

Adoptez une attitude positive pendant cette période, surtout au moment de la tétée. Souvenez-vous que l'anxiété, les soucis et même la peur de ne pas avoir assez de lait, peuvent empêcher le lait de couler librement. Le lien qui se tissera entre vous et votre bébé vous rapprochera également de votre mari et de vos autres enfants. Considérez la maternité et l'allaitement comme de précieux privilèges; une attitude mentale positive est un gage de succès.

CHAPITRE 8

Quelques difficultés et comment les surmonter

Les mamelons douloureux

Plusieurs mères expérimentent une certaine sensibilité au niveau des mamelons, surtout durant les premières semaines, alors que les seins ne sont pas encore habitués et endurcis à la succion du bébé. Les blondes, les rousses et celles qui ont le teint clair doivent se surveiller de plus près et ont avantage à suivre les conseils de préparation pendant la grossesse (voir chapitre 5).

Tout d'abord, n'utilisez aucun savon pour nettoyer vos seins, la douche ou le bain quotidien suffisent grandement et n'oubliez pas que le lait par lui-même est antiseptique et protège vos mamelons. L'alcool et la teinture de benjoin, et les crèmes qui en contiennent, sont déconseillés, car ils assèchent la peau et peuvent provoquer des gerçures.

Si cette sensibilité se produit peu après la naissance du bébé et s'avère plutôt bénigne, elle se résorbera au bout de quelques jours. Si toutefois elle persiste et s'aggrave, ne désespérez pas, cela finit toujours par passer et ce n'est qu'en de rares exceptions qu'elle met plus d'une semaine ou deux à guérir. Les conseils sui-

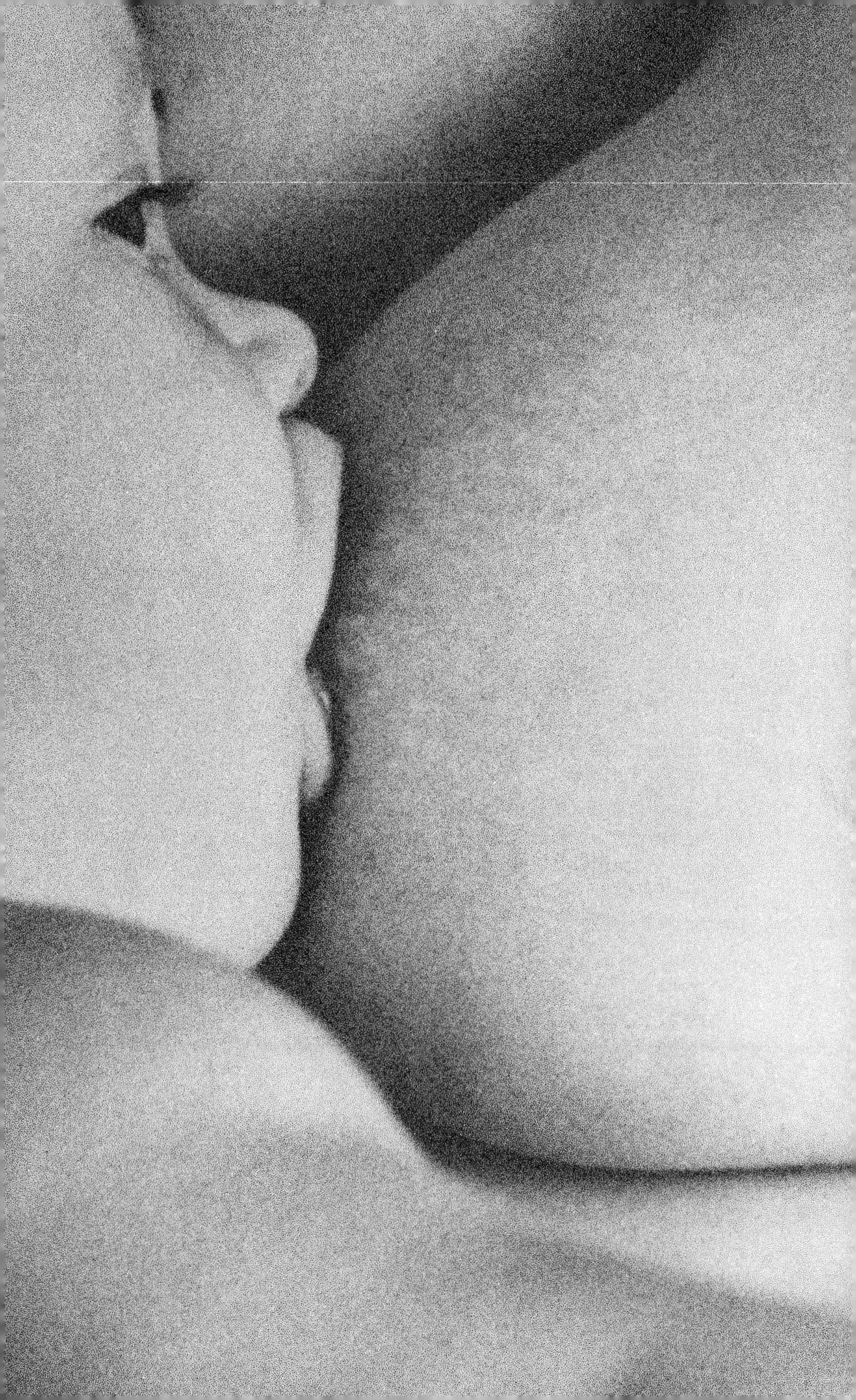

vants vous aideront à soigner vos mamelons et à les garder en santé.

- Assurez-vous que le bébé prend une bonne partie de l'aréole dans sa bouche et non seulement le mamelon et ne le laissez surtout pas le mâchonner.

- Laissez sécher les mamelons à l'air et si possible au soleil entre les tétées.

Appliquez une crème naturelle sur les mamelons comme la lanoline pure. Plusieurs mères ont également d'excellents résultats avec la vitamine E, car elle semble avoir des propriétés cicatrisantes. Vous crevez la capsule et mettez tout simplement cette huile sur le mamelon. Une crème à base de vitamine A et D s'avère souvent efficace. Inutile d'enlever ces crèmes avant de donner le sein, elles sont inoffensives pour le bébé. Par contre, nous avons quelques témoignages de nourrices ayant utilisé une crème à base d'oxyde de zinc destinée aux fesses des bébés, sur des mamelons particulièrement crevassés. Il faut l'enlever avant de donner le sein (appliquez la vitamine E sur le mamelon pour l'enlever afin de ne pas irriter davantage). Le blanc d'oeuf battu donne souvent de bons résultats sur une crevasse.

- Prenez le plus de repos possible et surveillez votre alimentation. Le surmenage peut, quelquefois, causer des mamelons douloureux.

- Évitez que les mamelons soient en contact avec des tissus lavés au savon fort et à l'eau de javel.

- Assurez-vous que votre soutien-gorge ne contienne pas de doublure en plastique. Il peut arriver que certains mamelons ne supportent pas le nylon et les tissus synthétiques. Si c'est le cas, procurez-vous un soutien-gorge de coton blanc pour porter dans la maison et portez celui de fantaisie pour vos sorties seulement, ou encore mettez des petites passoires dans votre soutien-gorge pour éviter qu'il ne touche aux mamelons.

- Si vous ressentez une démangeaison au niveau des mamelons ou si vous remarquez des petits points blancs dans la bouche de votre bébé il s'agit probablement de muguet. C'est une infection bénigne à champignons mais qui peut rendre les mamelons très douloureux. Votre médecin vous prescrira un médicament à appliquer sur vos mamelons et dans la bouche du bébé, sans qu'il soit nécessaire d'arrêter l'allaitement. Certains médicaments comme le mycostatin sont très efficaces contre le muguet et ne nécessitent pas toujours d'ordonnance médicale. Il faut cependant enlever cette crème avant la tétée.

- Changez de position afin que la succion se disperse.

- Relaxez. Nous n'insisterons jamais assez sur ce point. Une tension, soit causée par la douleur ou encore par un conflit extérieur, peut empêcher le réflexe de sécrétion de bien fonctionner, ce qui porte le bébé à téter plus fort pour aller chercher le lait. Le médecin pourra peut-être vous prescrire de l'oxytocine en vaporisateur nasal, ce qui aidera le lait à descendre plus facilement. Ce qui peut également aider au réflexe de sécrétion, c'est de prendre un bain chaud avant la tétée ou, ce qui est plus rapide, de tremper vos seins dans un bol d'eau chaude.

- Offrez le côté le moins douloureux en premier. Lorsque le bébé arrive au deuxième sein, il est moins affamé et tète moins vigoureusement. Par contre, si le sein le plus affecté est le plus plein, commencez tout de même par l'autre, mais aussitôt que le lait descend, changez de côté. Ou encore, extrayez un peu de lait à la main avant de donner le sein au bébé, mais jamais à la pompe quand les mamelons sont crevassés. Le lait aura déjà commencé à couler et la douleur sera atténuée; il est intéressant de remarquer que la plupart des mères affirment ressentir beaucoup moins de douleur une fois le réflexe de sécrétion en marche. (Voir chapitre 4 pour plus d'explications sur le réflexe de sécrétion).

- Un peu de glace, sur le bout du sein avant la tétée, peut soulager.

Si, après avoir essayé tout cela, la douleur persiste, vous pouvez utiliser une lampe solaire, mais avec beaucoup de précautions. Suivez les indications suivantes à la lettre et couvrez bien vos yeux :

Assoyez-vous à un peu plus d'un mètre et exposez-vous :
30 secondes les deux premiers jours
1 minute le jour suivant

2 minutes les deux jours suivants
3 minutes les jours qui suivent.

Si votre teint rougit, diminuez le temps d'exposition pour un jour ou deux. Certaines femmes disent avoir utilisé, avec succès, une ampoule ordinaire, comme celles utilisées dans les hôpitaux pour soigner l'épisiotomie. Elles sont généralement de 60 watts.

Évidemment, si ce n'est qu'une sensibilité mineure, sans crevasses ni gerçures, vous n'avez pas à vous soucier de tout cela. Une bonne crème et les seins nus le plus possible devraient remettre les mamelons en bon état.

Par contre, si vos mamelons sont dans un piètre état et que, malgré tous les conseils mentionnés la douleur est insupportable, vous devrez, mais dans de très rares cas seulement, enlever le bébé du sein pour quelques jours et lui donner votre lait dans un biberon ou à la cuillère. Lorsque vous recommencez à donner le sein, limitez le temps de succion et augmentez le graduellement.

Ne sautez surtout pas sur la téterelle (sorte de suce qu'on met sur le mamelon) à la moindre gerçure, car vos mamelons ne s'endurciront jamais. Prenez l'exemple de l'homme qui travaille dans la rue au pic et à la pelle. Au début, ses mains seront remplies d'ampoules car elles ne sont pas habituées à un tel travail. Mais, à la longue, elles s'endurciront et les ampoules disparaîtront. Ce n'est toutefois pas en mettant des gants qu'il endurcira ses mains. Le bébé habitué à la téterelle peut, par la suite, refuser le sein. Souvent le sein n'est pas suffisamment stimulé lorsque le bébé suce la téterelle, et la «descente de lait» se fait moins bien, ce qui en diminue la production de lait.

L'engorgement, le canal lactifère bloqué et l'infection du sein

Étant donné que l'engorgement, le canal lactifère bloqué et l'infection du sein ou mastite présentent à peu près les mêmes symptômes et se traitent à peu près de la même façon, à quelques différences près, nous les avons discutés ensemble.

Lorsque les seins sont durs, lourds et pleins de lait, il y a engorgement. Cela se produit surtout les premiers jours qui suivent l'accouchement et peut être prévenu en donnant le sein sur demande à partir de la naissance. Celles qui jouissent de la cohabitation ont rarement ce problème. Si vous êtes à l'hôpital et que votre bébé est à la pouponnière, expliquez à l'infirmière que vos seins sont engorgés et que vous aimeriez avoir votre bébé.

Si vous avez un ou plusieurs canaux lactifères bloqués, vous sentirez probablement une bosse dans votre sein qui empêche le lait de couler normalement. Suivez les conseils donnés pour l'infection du sein en insistant sur le fait de nourrir souvent.

Si cette bosse est accompagnée de courbatures et de fièvre, il s'agit probablement d'une infection du sein.

J'ai demandé au Dr Hélène Cantlie (cf. préface) de nous expliquer les causes, les implications et le traitement d'une mastite, étant donné la controverse qui existe sur ce sujet et le fait que malheureusement plusieurs bébés sont sevrés inutilement à cause de cela.

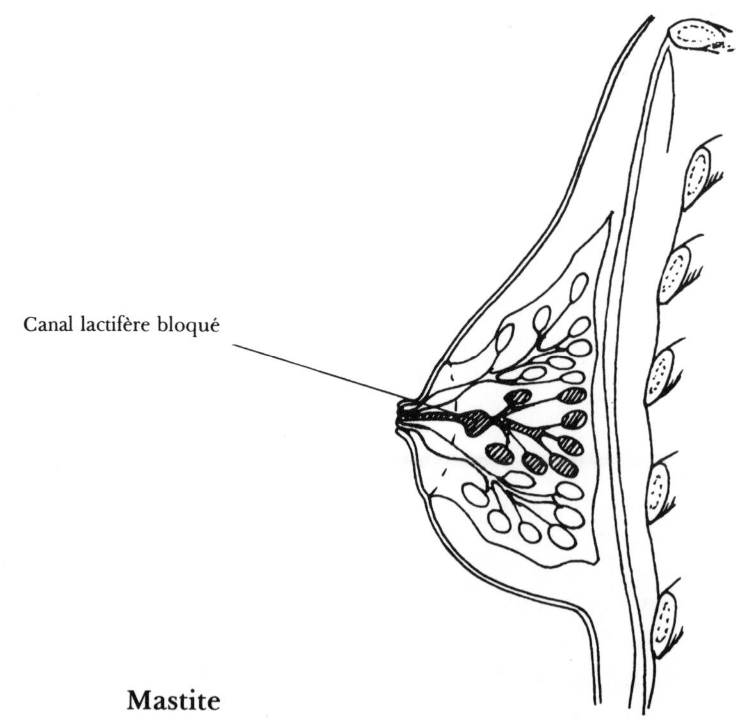

Mastite

«Pour qu'il y ait infection, il faut un organisme capable d'infecter, et un milieu propre à sa croissance.

87% des cas de mastite sont causés par une seule sorte de bactérie : le staphylocoque, qui, dans la majorité des cas, est résistant à la pénicilline.

Cet organisme, que l'on retrouve surtout en milieu hospitalier, est transmis au bébé à la pouponnière : des épidémies de mastite ont été enrayées par la cohabitation dès la naissance.

Le bébé peut manifester son infection par une conjonctivite, par des boutons, ou il peut n'avoir aucun symptôme : il existe dans le lait maternel un acide gras permettant à l'enfant de lutter spécifiquement contre les staphylocoques. Néanmoins, il peut être porteur de ces bactéries pendant des semaines, voire même des mois.

C'est lors de la tétée que l'organisme est transmis; il ne pourra, cependant, faire du tort que si le «terrain» est propice. Tout ce qui vous affaiblit favorise l'infection : l'anémie, le diabète mal contrôlé, le surmenage, une mauvaise nutrition, le stress sont autant de facteurs prédisposants que vous pouvez éviter.

À l'état normal, votre corps se protège contre la mastite : les acides gras sécrétés par la peau du mamelon offrent un milieu défavorable à la croissance bactérienne. Il ne faut donc pas les enlever en lavant le mamelon au savon, à l'alcool, au benjoin, ou en y appliquant différentes crèmes, soit disant bénéfiques. Toutes ces manoeuvres, d'ailleurs, favorisent les gerçures qui ouvrent la porte à l'infection.

Lors de la tétée, les vaisseaux sanguins se dilatent, permettant aux globules blancs (tueurs de bactéries) de passer facilement dans les tissus du sein. Les soutiens-gorge trop serrés, qui entravent la circulation, et l'espacement ou l'arrêt des tétées privent la mère de cette protection. Lors d'une infection, des compresses chaudes favoriseront la dilatation des vaisseaux sanguins.

De plus, le lait est un excellent milieu de culture pour les bactéries : si le sein n'est pas vidé souvent, ces organismes pourront s'y multiplier en paix, et l'infection se propagera. Donc, dans les premières semaines, et surtout au premier signe d'infection, il faut que l'enfant tète souvent au sein affecté.

Comment se manifeste la mastite ?

Le premier symptôme est souvent une sensation de lourdeur ou d'engorgement dans un sein.

Vient ensuite la fièvre, qui peut atteindre 40° C, accompagnée de frissons et de malaise généralisé. Parfois la fièvre précède les autres symptômes, et vous croyez souffrir d'une grippe.

Le sein devient douloureux, et l'on y tâte souvent une masse, ou un épaississement sensible au toucher. Parfois, la peau de cette région rougit et devient plus chaude. Rarement, il y a écoulement de pus du mamelon ou du sein; c'est signe d'abcès. Dans la majorité des cas, la mastite est une condition bénigne. Pour la traiter, il suffit de vous mettre au lit avec le bébé, sans soutien-gorge, d'appliquer de la chaleur sur le sein malade, de faire téter votre poupon à ce sein aux deux heures ou plus souvent (nuit et jour), de bien boire (lait, jus, etc.), et de prendre une ou deux aspirines aux 4 heures pour la fièvre. Certaines mamans prennent également 400 à 800 unités de vitamine E par jour pendant la mastite.

Avec ces soins, votre fièvre devrait tomber en moins de deux jours, et les symptômes disparaîtront en 4 ou 5 jours.

Si vous aviez, avant votre mastite, une gerçure au mamelon, il vous sera difficile de faire téter l'enfant assez longtemps et assez souvent pour bien drainer le sein; si vous aviez, au préalable, un kyste au sein, et qu'il s'infecte, l'enfant ne peut le vider en tétant; si la fièvre persiste au-delà de 48 heures ou que pendant ce temps, les symptômes ne s'améliorent pas, ou encore, si vous sécrétez du pus, il vous faudra prendre un antibiotique. Celui-ci, donné de préférence après une culture du pus ou du lait, s'attaquera d'abord aux staphylocoques résistants à la pénicilline. Il n'est pas indiqué (bien au contraire) de sevrer le bébé dans ce cas : le bébé, porteur du microbe, en a déjà bu de bonnes quantités et le sevrage le priverait à la fois des antibiotiques et des anticorps que sa mère fabrique contre l'infection. Même en cas d'abcès, bébé peut sans danger continuer de téter (à condition qu'il ne boive pas de pus), car l'acide de son estomac détruit les bactéries.

S'il y a abcès (ce qui est très rare avec ce traitement), la bosse dans le sein semble, quand on la tâte, contenir du liquide. L'on peut alors pratiquer une petite incision d'environ 1 cm de diamètre sous anesthésie locale, pour évacuer le pus, et l'on vide l'abcès quelques fois par jour jusqu'à ce que l'incision se referme. Depuis l'avènement des antibiotiques, la chirurgie majeure des abcès du sein est périmée.»

Il peut arriver qu'une femme fasse des infections à répétitions. Si tel est votre cas, les remarques suivantes vous aideront à prévenir une éventuelle rechute.

- Évitez de garder les seins trop pleins; ce qui veut dire de ne pas rester de longues périodes sans nourrir votre bébé. Changez de position. Par exemple, allaiter toujours couchée peut empêcher le sein de bien se vider.

- Attention aux soutiens-gorge trop serrés.

- Suivez les conseils mentionnés précédemment au sujet des soins à donner aux mamelons. Une infection du sein s'installera plus facilement si les mamelons sont irrités ou crevassés.

- Surveillez de près votre alimentation : si vous vous nourrissez de sandwichs et de pâtisseries, vous aurez tendance à être plus fatiguée, et comme nous le savons, la fatigue est souvent la cause des infections du sein.

- Reposez-vous. Certaines femmes se remettent plus lentement que d'autres d'une grossesse et d'un accouchement. Même si votre bébé a quelques mois, ne vous croyez pas obligée de reprendre toutes vos activités. Vous n'êtes pas anormale parce que vous avez encore besoin d'une sieste l'après-midi. Par contre, si vous vous sentez exténuée constamment, voyez votre médecin; il fera peut-être analyser votre sang et une ordonnance de vitamines ou de fer sera peut-être nécessaire.

- Gardez un bon moral. Il est certain qu'il vous faudra quelques semaines avant d'être une experte dans l'art d'allaiter. Ne vous découragez pas si vous rencontrez quelques difficultés, surtout au début.

- Il peut arriver qu'un premier bébé cause de l'anxiété et de la tension dans la maison. Il est quelquefois difficile, pour certains parents, de s'adapter à leur nouveau rôle. S'il existe une tension entre votre mari et vous, cela peut très bien être la cause de vos infections à répétitions. Redoublez d'attention pour lui, il sera plus patient et plus tolérant. Toute autre tension extérieure peut être la cause de ces problèmes d'allaitement. Même si vos problèmes ne se règlent pas aussi vite que vous le souhaitez, tâchez de les oublier du moins pendant la tétée.

Trop de lait

J'ai rencontré une femme, déjà, qui produisant tellement de lait que ses vêtements étaient constamment trempés; de ses seins le lait jaillissait comme d'une fontaine, à tel point que lorsqu'elle mettait une tasse sous le sein, elle se remplissait à une vitesse incroyable. Ses seins, étaient toujours énormes et très inconfortables. Elle consulta un médecin au courant des problèmes d'allaitement, qui lui prescrivit quelques hormones, pendant une courte période. Tout rentra dans l'ordre et elle put nourrir son bébé en toute quiétude.

Évidemment, de tels cas sont assez rares et nécessitent une surveillance médicale. Par contre, il peut arriver qu'une femme ait tellement de lait, surtout au moment où le réflexe de sécrétion se met en marche, que le bébé manifeste beaucoup de difficultés à téter; il avalera tellement de lait à la fois qu'il s'étouffera et régurgitera presque à chaque tétée. Cela peut même entraîner des coliques et provoquer le hoquet car, comme le bébé avale son lait rapidement, sans beaucoup téter, il a tendance à prendre de l'air. Voici comment vous pouvez remédier à cette situation :

Extrayez un peu de lait à la main ou avec un tire-lait jusqu'à ce que le jet ait diminué d'intensité; donnez alors le sein à votre bébé et laissez-le téter de ce côté autant qu'il en a envie. Faites-lui faire un rot à toutes les 2 minutes jusqu'à ce que le débit soit ralenti. Si l'autre sein devient inconfortable, enlevez un peu de lait, juste assez pour vous soulager, car vous risqueriez de stimuler davantage votre production de lait. En ne lui donnant qu'un sein, vous lui permettrez de satisfaire son besoin de succion.

Il arrive souvent que, pendant que le bébé boit à un sein, l'autre se met à couler. Cette situation peut-être quelquefois gênante, si vous nourrissez chez des amis ou dans un lieu public. Portez les compresses d'allaitement vendues en pharmacie et, au moment où vous sentez le réflexe de sécrétion se déclencher, appuyez sur votre mamelon avec votre avant-bras ou la paume de votre main, afin de retenir le jet. Si vous êtes à la maison toutefois, laissez aller ce jet et mettez une couche propre sous votre sein. Il n'est pas bon de retenir ce lait trop souvent, car cela pourrait bloquer un ou plusieurs canaux lactifères.

Pas assez de lait

Si, pour une raison ou pour une autre, vous croyez ne pas avoir assez de lait, ce n'est pas le moment de recourir aux biberons ou d'introduire les aliments solides avant le temps. Cela ne ferait qu'aggraver la situation, car moins votre bébé s'alimentera de votre lait, moins vous en produirez.

Il est très facile d'augmenter votre sécrétion lactée, si vous suivez les conseils suivants :

- La première règle pour avoir beaucoup de lait est de donner le sein le plus souvent possible. C'est la loi de l'offre et de la demande. C'est la succion du bébé qui stimulera le plus vos seins. Toutes les autres solutions peuvent aider, mais si vous suivez un horaire trop rigide, comme des tétées à toutes les 4-5 heures, par exemple, ne soyez pas surprise de voir votre production de lait diminuer et d'entendre, par conséquent, votre bébé pleurer plus souvent qu'il ne devrait.

- Reposez-vous. Si votre baisse de lait se produit lorsque le bébé a quelques mois, il est très possible que cela soit dû à la fatigue. Souvent, autour de six mois, les femmes se sentent obligées de reprendre les activités qu'elles avaient avant la naissance du bébé. N'oubliez pas que, tant que votre bébé prendra la majeure partie de sa nourriture de vos seins, vous devrez prendre soin de vous et faire attention de ne pas vous surmener. Faites une sieste, en plus d'une bonne nuit de sommeil. Selon Adelle Davis, la célèbre nutritionniste américaine, une personne qui travaille fort et qui perd du sommeil a des besoins plus importants en vitamine B. À cet effet, la levure de bière, qui est une excellente source de vitamine B, est très populaire chez les nourrices. Les femmes qui l'utilisent ont remarqué une amélioration de leur production lactée.

- Surveillez votre alimentation. L'enquête Nutrition Canada a révélé que la personne qui s'alimente le plus mal, dans une famille, est la mère. Celle-ci est fatiguée après avoir préparé son repas et mange à peine. Elle se reprend en dehors des repas avec des pâtisseries et du café. Une fois la dernière touche donnée à votre dîner, attendez quelques minutes avant de vous installer à table. Vous serez de plus en appétit, mangerez plus et aurez moins tendance à grignoter toutes sortes de choses plus ou moins nourrissantes entre les repas.

C'est l'heure de la tétée, vous vous sentez fatiguée, vos seins semblent vides : préparez-vous un petit goûter : des biscottes et du fromage, un verre de lait et un fruit constituent une excellente collation vite préparée et nourrissante. N'oubliez pas de boire suffisamment. Pour être certaine de ne pas oublier, faites-vous un devoir de prendre un verre d'eau, de lait ou de jus avant et après chaque tétée. Plusieurs femmes ont témoigné, d'une façon positive, de la valeur du lait fortifié («pep-up») d'Adelle Davis, dont je me permets de vous donner la recette :

- 455 ml. de lait frais entier
- 115 ml. de lait écrémé en poudre non-instant.
- 15 ml. de levure de bière en augmentant graduellement jusqu'à 60 ou 115 ml.
- 4 ml. de vanille
- 15 ml. d'huile végétale, soya, maïs ou arachides (pressée à froid)
- 115 ml. de votre fruit préféré : banane, pêche, fraise, etc.
- 1 ou 2 oeufs crus
- 2 ml. de poudre d'os ou une coquille d'oeuf broyée
- 15 ml. de lécithine
- 4 ml. d'inositol
- 1 ml. d'oxyde de magnésium que vous ajoutez juste avant de servir ou que vous prenez en comprimés.

Une fois que vous aurez tous ces ingrédients à la portée de la main, vous le préparerez en cinq minutes. Vous trouverez certains ingrédients dans les magasins d'aliments naturels.

Passez tout ça au «blender» ou mélangeur électrique et buvez-en à chaque tétée.

- Tenez-vous loin des biberons. Si votre production de lait est insuffisante, ce n'est pas le moment de recourir aux biberons ou aux aliments solides; ce serait le début de la fin de l'allaitement. Rappelez-vous toujours que plus vous donnerez le sein, plus vous aurez de lait. Il peut arriver qu'un médecin ait de bonnes raisons de prescrire temporairement un supplément après avoir donné le sein. Naturellement c'est le médecin qui décidera, non l'infirmière ou la belle-soeur. Ce peut-être le cas pour un bébé handicapé, un bébé très petit ou tout simplement pour faire engraisser un bébé plus vite, afin de rassurer une mère particulièrement angoissée; une fois son inquiétude dissipée, elle pourra allaiter de manière plus détendue et son lait coulera plus aisément.

- Relaxez. Le seul fait d'être tendue peut inhiber le réflexe de sécrétion et empêcher le lait de sortir aussi librement qu'il le devrait. Au moment de la tétée, essayez d'oublier vos soucis. Prenez un bon livre ou une revue, téléphonez à une amie ou à une mère de la Ligue La Leche pendant que vous allaitez. Ou encore, mettez un bon disque et étendez-vous, nus tous les deux, pour nourrir. Une belle musique douce et le contact de la peau avec votre bébé peuvent faciliter l'écoulement du lait.

Par-dessus tout, ayez confiance en votre capacité de nourrice. Le seul fait de douter de vous-même peut empêcher le réflexe de fonctionner normalement. Vous êtes capable d'allaiter, des millions de femmes le font et ont, elles aussi, leurs moments difficiles. Vous passerez au travers si vous prenez ça calmement. Ne vous en faites pas pour votre bébé. Il prendra le sein plus souvent et plus longtemps pour satisfaire ses besoins, mais il finira par satisfaire sa faim. En quelques jours, vos seins déborderont de nouveau et tout rentrera dans l'ordre. Si vous êtes inquiète, vérifiez auprès de votre médecin. Il vaut mieux déranger pour rien que de rester avec des inquiétudes latentes. Demandez-lui de vous prescrire de l'oxytocine en vaporisateur nasal. C'est l'hormone qui fait déclencher le réflexe de sécrétion. Cela vous donnera un coup de pouce pendant quelque temps. Il existe certains médicaments qui, par leur effet sédatif, stimulent la prolactine et augmentent la lactation. Ils ne doivent être utilisés que dans les cas très difficiles et sous stricte surveillance médicale.

- En résumé, tout ce qui peut aider à vous détendre peut aider la production de lait.

Le bébé qui n'engraisse pas assez

Si votre bébé n'engraisse pas assez, il est possible que votre production de lait soit insuffisante et il est généralement assez facile de la stimuler et de satisfaire les besoins du bébé. Mais attention ! Ce n'est pas parce que le bébé de votre amie engraisse plus vite que le vôtre qu'il faut nécessairement vous alarmer. Assurez-vous de prendre l'avis de votre pédiatre avant celui du voisinage. Les bébés sont des individus et n'engraissent pas tous au même rythme.

- Donnez-lui les deux seins à chaque tétée.

- Nourrissez-le aussi souvent qu'il semble en avoir besoin. Laissez l'horaire de côté, pour quelque temps, afin de lui donner une bonne poussée. Donnez le sein aux deux heures au moins, aux heures s'il le faut.

- Laissez-le téter aussi longtemps qu'il le désire. Même s'il prend la majeure partie de son lait durant les dix premières minutes, ce qu'il prend par la suite est loin d'être négligeable et a l'avantage de stimuler votre production de lait et d'être particulièrement riche en matières grasses, bonne source de calories.

- Ne le laissez pas dormir 4 -5 heures, sans téter. Réveillez-le s'il le faut. Même si cela vous semble difficile, dites-vous que ce n'est que pour une courte période et que bientôt, tout rentrera dans l'ordre.

- Si votre médecin et vous pensez que votre production de lait est insuffisante, suivez les conseils de la section précédente intitulée «Pas assez de lait».

S'il est possible que votre production de lait soit insuffisante, il est par contre presque impossible que votre lait ne soit pas assez riche. Des études ont prouvé qu'il existe très peu de variantes dans la composition du lait, d'une femme à l'autre. Même le lait des femmes vivant dans des pays sous-alimentés est aussi riche que celui des nord-américaines. Seulement celles qui sont gravement sous-alimentées tendent à produire un lait quelque peu inférieur en gras. C'est donc dire que vous n'avez pas à vous inquiéter de ce côté-là. C'est la quantité de lait qui est affectée, surtout, lorsqu'une femme manque de nourriture ou de sommeil, et non la qualité. Si votre bébé n'engraisse pas et qu'on insiste pour faire analyser votre lait, soyez certaine d'en retirer au début, au milieu et à la fin de la tétée. Du début à la fin d'une tétée, la quantité de gras varie suffisament pour faire croire à une personne, peu renseignée sur l'allaitement, que votre lait n'est pas assez riche. C'est la nature qui a fait le lait de la mère ainsi afin que, tout au long de la tétée, le bébé satisfasse sa faim et sa soif, selon que le lait contient plus ou moins de gras ou plus ou moins d'eau.

Les mamelons creux ou invaginés

Si vous avez les mamelons creux au point que lorsque vous les touchez, ils se rétractent et rentrent à l'intérieur, ne vous découragez pas tout n'est pas perdu, vous pouvez quand même

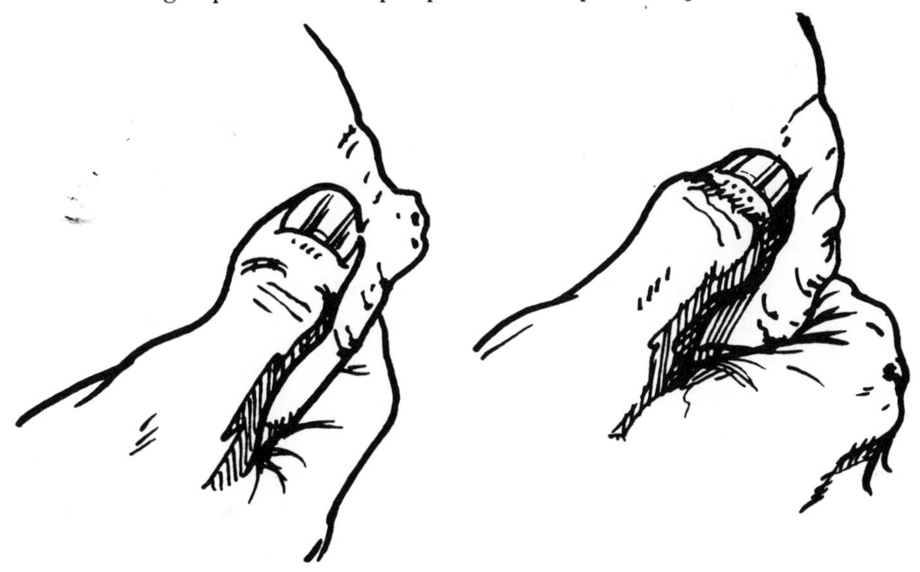

mamelon normal mamelon creux

allaiter avec succès. L'idéal est de commencer à régler le problème pendant la grossesse. Attrapez votre mamelon entre le pouce et l'index, étirez-le afin qu'il sorte de sa «cachette» et tenez-le comme ça pendant quelques secondes. Répétez cet exercice deux à trois fois par jour. Vous pouvez également produire le même effet avec un tire-lait. En provoquant une succion, le mamelon ressort à l'extérieur. Le mari qui peut téter avant la naissance du bébé et même après si le bébé refuse le sein est une excellente solution. Coupez le bout de votre soutien-gorge afin de laisser sortir le mamelon tout en retenant le sein.

Mais ce qui semble être le plus efficace pour les mamelons vraiment creux, c'est l'utilisation des boucliers Woolwich. Ils consistent en de petits disques de plastique léger qui exercent une pression autour de l'aréole et provoquent une légère succion au niveau du mamelon, suffisante pour le faire ressortir. Vous pouvez vous les procurer par l'entremise de la Ligue La Leche.

Certaines femmes ne s'aperçoivent du problème qu'à la naissance du bébé. Si tel est le cas, portez-le entre les tétées et ne désespérez pas. Ces boucliers finissent toujours par avoir le dernier mot sur les mamelons creux. Prenez bien soin de les laver souvent, car il s'y ramasse toujours un peu de lait. Rincez-les à fond et essuyez-les comme il faut avant de les porter à nouveau. Si vous portez les boucliers souvent et longtemps, vous aurez avantage à laisser vos mamelons à l'air pendant certaines périodes de la journée, car l'humidité peut provoquer une sensibilité du mamelon.

Une autre bonne façon de faire ressortir les mamelons est de demander au mari de stimuler vos seins manuellement et oralement.

Certaines affirment avoir eu du succès avec une longue pince à cheveux; on l'entoure de ouate pour ne pas blesser le mamelon et on le met dans la pince pour l'habituer à rester sorti. Il faut cependant limiter l'utilisation de cette méthode pendant la grossesse. En l'utilisant pendant la période d'allaitement cela risquerait de bloquer les canaux lactifères et provoquer l'engorgement ou l'infection du sein.

Tous les soins normaux à donner aux mamelons (voir chapitre 5) vous seront utiles.

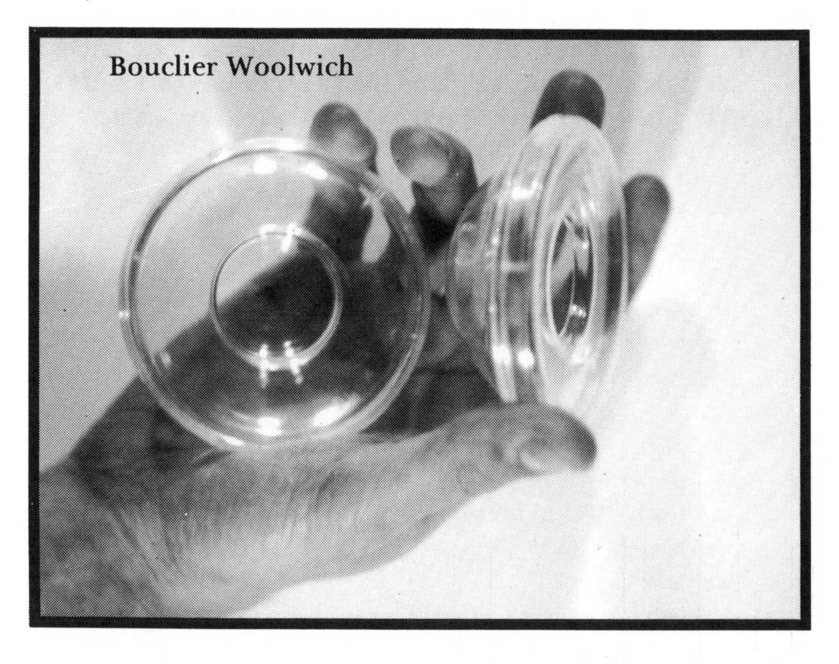

Bouclier Woolwich

Le bébé qui pleure

En dehors de la faim, des coliques, des couches souillées, d'une température trop chaude ou trop froide, d'une position inconfortable ou d'une maladie quelconque, qu'est-ce qui peut bien porter un bébé à pleurer ? Ces pleurs à fendre l'âme déroutent beaucoup de jeunes mamans.

Combien de fois n'a-t-on pas entendu la remarque suivante : *«Il a bien bu, a passé ses rots, je l'ai changé; il n'a pas de raison de pleurer, il doit être gâté».*

A-t-on jamais pensé que le bébé qui a passé neuf mois dans le sein de sa mère, a besoin de cette présence, de cette voix, de cette odeur si familière ? Même si l'allaitement satisfait leurs besoins jusqu'à un certain point, les bébés ont aussi besoin d'être rassurés, cajolés, portés, touchés plus souvent qu'aux moments de la tétée. Des milliers de femmes, à travers le monde, ont depuis longtemps résolu ce problème en portant le petit dans le dos, sur la hanche ou sur la poitrine, tout en vaquant à leurs occupations. Elles ont compris que le sens du toucher et le mouvement sont très importants chez le bébé et que c'est un besoin fondamental chez lui. Voici d'ailleurs ce qu'en pense le célèbre Dr Frédérick Leboyer, auteur des livres *Naissance sans Violence* et *Shantala* :

«Chez les bébés la peau prime tout,
Elle est le premier sens.
C'est elle qui sait,
Chez les tout petits enfants,
comme elle s'enflamme aisément.
Rougeurs, érythèmes, pustules...
Microbes ? Infections ?
Non, non.
Mal touchés
Mal portés. Mal portants.
Mal menés.
Mal aimés.
Ah oui, cette peau il faut en prendre
soin, la nourrir.
Avec de l'amour. Pas avec des crèmes.
Être portés, bercés, caressés, être
tenus, être massés, autant de
nourritures pour les petits enfants,
aussi indispensables, sinon plus
que vitamines, sels minéraux et
protéines.
S'il est privé de tout cela
et de l'odeur, de la chaleur
et de la voix
qu'il connaît bien
l'enfant, même gorgé de lait, se laissera
mourir de faim.»

Comme les ulcères d'estomac sont souvent dus à des troubles nerveux, plusieurs spécialistes prétendent que certaines formes de coliques sont dues à un manque de contact physique.

On a cru, pendant un certain temps, qu'il ne fallait pas prendre le bébé en dehors des tétées, par crainte de le gâter. Pourtant, de plus en plus de recherches démontrent que les bébés ont un besoin vital d'être touchés et portés. Il est donc, par conséquent, illogique de laisser pleurer un petit bébé durant de longues périodes.

Vous êtes chez votre belle-maman avec votre poupon; vous venez de le nourrir et de le changer et, au moment de le déposer dans son lit, il se met à pleurer; vous le prenez et il s'arrête aussitôt. Tout le monde vous fait alors remarquer qu'il est gâté. Il est certain que, si être porté est ce dont il a besoin, il s'arrêtera de pleurer si vous le prenez avec vous; il n'est pas gâté pour autant. Le Dr Spock affirme qu'il est impossible de gâter un tout petit bébé. Il ne peut pas, selon lui, *«vous mettre à l'épreuve»* à cet âge là. Le psychologue Fitzhugh Dodson, auteur du livre *Tout se joue avant six ans,* dit ceci *«On est stupéfait que des parents soient assez aveugles aux besoins de leur enfant au point d'ignorer ses pleurs. Quel langage voulez-vous qu'un bébé utilise quand il veut vous faire part de ses désirs et de ses besoins ? Son seul moyen d'expression ce sont les pleurs. Lorsqu'il le fait, il essaie toujours de vous dire quelque chose. Que se passe-t-il en lui si le monde persiste à ignorer ce qu'il essaie de dire ? Un sentiment d'abandon complet et absolu, la rage et le désespoir : voilà ce qu'il ressent si l'on ignore ses efforts pour communiquer.»*

De tout temps et dans presque tous les pays du monde, les femmes ont utilisé le porte-bébé pour calmer leur petit. Presque chaque civilisation a mis au point sa propre version du porte-bébé. Certaines femmes le portent sur le dos, d'autres sur la hanche, d'autres sur la poitrine. Certaines femmes arabes et hindoues portent leur petit sous leur grande tunique et on ne leur voit souvent que le bout du nez. Elles ont les mains libres pour travailler, faire le marché ou tout simplement se promener et le petit reçoit constamment une stimulation tactile et ses besoins sont toujours comblés.

La Ligue La Leche fabrique des porte-bébés de différentes grandeurs et de différents modèles; vous pouvez aussi les trouver dans les grands magasins.

Le bébé qui refuse le sein

Il y a deux périodes de la vie où un enfant peut refuser le sein : durant les premiers jours de sa vie et entre 4 et 10 mois environ.

Vous êtes à l'hôpital, on vous amène votre petit et comble de malheur, il refuse le sein; ou bien il crie à fendre l'âme et n'arrive pas à agripper le mamelon, ou bien il est complètement endormi et le sein, pour lui, n'a d'autre intérêt que de s'y appuyer pour mieux dormir.

Tout cela est généralement la conséquence des horaires trop rigides des hôpitaux; même si le personnel semble favorable à l'allaitement, il arrive souvent qu'on donne au bébé des biberons supplémentaires à la pouponnière. Il suffit de peu de temps pour qu'un bébé préfère le biberon; il est plus facile de téter et le lait en sort plus rapidement, tandis que le mamelon est plus petit, plus flexible et il doit travailler plus fort pour boire. À cet effet, certains psychanalystes affirment qu'un enfant nourri au sein est plus armé pour faire face aux difficultés de la vie, car il doit travailler plus fort pour arriver à boire son lait.

S'il pleure, essayez de le calmer en le berçant et en lui parlant doucement; des chercheurs ont démontré que le bébé tète plus fort lorsqu'il entend la voix de sa mère. Essayez de ne pas lui communiquer votre angoisse. Il ne faut pas qu'il se déclenche une bataille entre le bébé et vous. Une fois à la maison, prenez-le pendant qu'il est encore endormi; il sera moins affamé et se rendra moins compte de ce qui se passe. Certaines femmes mettent un peu de sirop de maïs sur le mamelon ou encore extraient un peu de lait à la main avant de donner le sein; une fois que le lait se met à couler, le bébé est plus encouragé à téter.

S'il s'agit d'un bébé trop endormi, essayez de le réveiller en lui massant le dos doucement ou en lui tapotant le dessous des pieds gentiment. Évitez qu'il ait trop chaud et qu'il soit trop emmailloté. Habituellement, cela rentre dans l'ordre une fois rendu à la maison, car le bébé ne reçoit plus de suppléments. Sans les biberons d'eau sucrée et de lait artificiel, ne vous en faites pas, il aura faim à un moment donné et sera heureux de téter le sein maternel. Habituellement en extrayant un peu de lait et en le mettant directement dans sa bouche, il se sentira plus encouragé.

Vous pouvez essayer de le réveiller en l'assoyant et en le pliant en deux vers l'avant, au niveau de la taille. Cela réussit quelquefois à réveiller même un bébé très endormi. Ne vous fiez surtout pas à votre expérience de l'hôpital. Ces premiers jours sont des jours de pratique et il ne faut pas vous attendre à des miracles.

Lorsqu'un bébé est âgé d'environ 4 à 10 mois et que, tout à coup, il se met à refuser le sein, il peut y avoir une multitude de raisons. En découvrant la cause, on résout généralement le problème. Si vous désirez que votre bébé continue à être allaité au sein, soyez attentive à ses réactions afin de mettre le doigt sur ce qui peut l'empêcher de téter.

Il est rare qu'un bébé de cet âge-là manifeste le désir de se sevrer; s'il cesse de téter, c'est habituellement une façon de manifester son désaccord pour une chose qui l'ennuie. Des mamans témoignent à ce sujet :

«Lorsque notre Liliane eut 6 mois, mon mari et moi avions décidé qu'il était temps qu'elle dorme toute la nuit, sans téter. J'entrepris donc de la sevrer la nuit. Lorsqu'elle se réveillait, je lui donnais un peu de lait à la tasse et la recouchais, sans lui donner le sein. Quelques jours après ce régime, elle se mit à sucer son pouce pour se rendormir et, aussitôt que je lui offrais le sein durant la journée, elle se mettait le pouce dans la bouche. Il était devenu impossible de l'allaiter. J'étais très malheureuse, car je désirais l'allaiter au moins un an. Mon mari entreprit donc de lui donner son lait à la tasse la nuit, plutôt que moi, pensant ainsi qu'elle se sentirait moins rejetée par moi. Le jour, aussitôt que je la voyais avec son pouce dans la bouche, je la prenais et la berçais, la cajolais, et après quelques minutes, lui offrais le sein. Elle mit quatre jours avant de reprendre le sein. Elle a maintenant dix-huit mois et tète encore 3-4 fois par jour. Lorsqu'il lui arrive de se réveiller la nuit, elle ne se sent plus rejetée si nous la rassurons autrement qu'au sein. Je suis contente d'avoir persévéré, car je n'aurais pas aimé que notre expérience d'allaitement se termine par une frustration.»

«Environ six mois après la naissance de Patrick, je me suis sentie tout à coup très fatiguée, très déprimée et, par conséquent, très irritable. Mes relations avec mon mari s'en ressentaient et devenaient de plus en plus tendues. Un soir, nous eûmes une violente dispute et notre petit se réveilla. Je le pris pour l'allaiter et j'étais évidemment très angoissée. Il se raidit, se mit à hurler et ne voulait absolument pas prendre le sein. Je me rends compte, maintenant, que je lui communiquais ma tension et que, lorsque j'étais particulièrement nerveuse, j'étais davantage portée à le prendre pour l'allaiter, car il me semblait que cela me calmait. À mon grand désarroi, il se sevra presque brutalement vers l'âge de sept mois et demi, et il fut impossible de recommencer, même une fois les problèmes réglés et l'atmosphère de la maison détendue.»

Ce ne sont que quelques exemples de bébés qui rejettent le sein maternel. Les points suivants peuvent également vous aider à déterminer la cause de ce rejet :

- Un rhume peut bloquer ses voies respiratoires et rendre l'allaitement difficile.

- L'allaitement peut, quelquefois, être douloureux pour un bébé qui fait ses dents. Demandez à votre pédiatre quelque chose pour le soulager.

- Un mal d'oreille peut rendre l'allaitement douloureux.

- Un mauvais goût dans le lait peut être la cause. Avez-vous mangé quelque chose dont vous n'avez pas l'habitude ? Par exemple, l'ail ou les asperges en grande quantité peuvent donner un goût différent au lait et le bébé peut y réagir.

- Le muguet, une infection relativement courante, peut incommoder certains bébés au moment de téter. Elle se manifeste par de petites taches blanches au niveau de la langue, à l'intérieur des joues et sur les gencives. Consultez votre médecin si votre bébé en est atteint.

- Une forte tension émotionnelle. Si vous passez par une période difficile, votre bébé peut le sentir et spécialement à l'heure de la tétée. Certains médecins disent que les bébés nourris au sein sont plus sensibles aux émotions de la mère, car ils entendent les battements du coeur, et ceux-ci varient lorsque la mère est nerveuse. Faites un effort pour oublier et relaxer au moins pendant la tétée.

Un changement important dans votre vie familiale : retour au travail, déménagement ou autre.

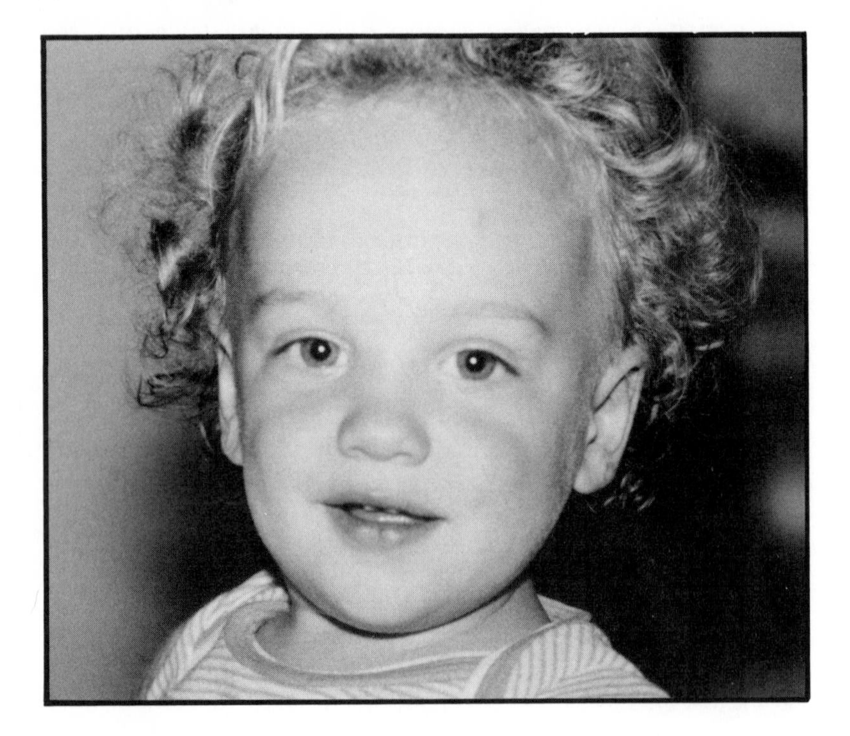

«À l'âge de cinq mois mon quatrième enfant refusa le sein pour une période de vingt-quatre heures à la suite d'un traumatisme. Il était dans mes bras lorsqu'il tomba sur le sol suite à un faux pas de ma part. Bien que tous les tests furent négatifs et qu'il n'y eut aucune conséquence grave il n'accepta le sein que le lendemain.»

Quelle que soit la cause passez beaucoup de temps avec lui, bercez-le, parlez-lui doucement et tout rentrera dans l'ordre.

Une mère rapporte que chaque fois qu'elle sortait, son enfant refusait le sein; elle découvrit que le parfum qu'elle mettait à ce moment-là dérangeait le bébé. Dès qu'elle cessa d'utiliser ce parfum le bébé accepta d'être nourri en tout temps.

- Un bébé peut être dérangé par le bruit des autres enfants. Si c'est le cas, retirez-vous dans une autre pièce.

Si au bout d'une semaine, votre bébé refuse toujours le sein, il est peut-être prêt pour le sevrage. Bien que certains enfants ne montrent aucun signe de sevrage avant l'âge de deux, trois ans, d'autres sont plus précoces.

CHAPITRE 9

Situations particulières

Le prématuré

On a souvent cru qu'il était impossible d'allaiter un prématuré. Aujourd'hui, la grande majorité des spécialistes pensent qu'il est, non seulement possible, mais encore souhaitable d'allaiter le bébé prématuré.

Plusieurs études comparatives ont démontré que les prématurés, nourris au lait maternel, jouissent d'une importante réduction d'incidence d'hyperbilirubinémie (jaunisse); ils sont moins exposés au retard mental, dont l'hypoglycémie symptomatique est souvent la cause, et mettent généralement moins de temps à retrouver leur poids de naissance. Aussi, le nombre des décès chez les prématurés est moindre chez les bébés nourris au sein. À cet effet, certains grands hôpitaux ont instauré des banques de lait maternel, destinées en particulier aux prématurés.

Il existe différents degrés de prématurité. Le bébé à qui il ne manque que quelques grammes pour être considéré au même titre qu'un bébé né à terme, et qui peut très bien être allaité de la même façon que ce dernier; et celui, par contre, qui ne pèse que

1 kg ou 1.5 kg et qui, dans la plupart des cas, n'est pas assez fort pour téter au sein. Si c'est le cas de votre bébé, vous devrez extraire votre lait toutes les 2 ou 3 heures environ, jusqu'à ce qu'il soit capable de téter au sein, ceci afin de conserver votre sécrétion lactée. *(cf. La conservation et l'extraction du lait, p. 143)*

Aussitôt que cela est possible et si vous le désirez, vous pouvez conserver le lait extrait et l'envoyer régulièrement à l'hôpital, afin qu'il soit donné à votre bébé. Lorsqu'il sera assez fort pour téter, on vous permettra probablement d'aller le nourrir vous-même à l'hôpital, une ou deux fois par jour, et même plus. Il vous faudra un peu de patience pour habituer un prématuré à téter au sein, car les premières tentatives sont quelquefois difficiles. Mais avec beaucoup d'amour et de persévérance, vous en viendrez à bout. Rappelez-vous que son réflexe de succion est moins fort que celui d'un bébé né à terme, et que téter au sein demande plus d'efforts que boire au biberon. Ne vous découragez pas si, les premiers jours, votre bébé s'endort au sein, après n'avoir pris que 14 ml.; il n'est pas encore habitué à un tel effort, mais à mesure qu'il gagnera des forces, il délaissera le biberon pour préférer le sein.

Il vous faudra déployer plus d'efforts et d'énergie pour nourrir un prématuré qu'un bébé à terme. Mais ayant moi-même fait l'expérience, je peux dire que ces semaines d'efforts et d'anxiété sont suivies de semaines d'immenses joies et de satisfaction émotionnelle intense.

«En effet mon quatrième enfant est né huit semaines avant terme. Cela lui prit environ trois semaines avant d'être assez fort pour téter, pendant ce temps nous apportions mon lait à tous les jours mon mari et moi, extrait au moyen d'un tire-lait électrique.» Lorsque nous prévoyons avoir à tirer notre lait pour une période de temps assez longue il peut être avantageux de jouer un tire-lait électrique pour nous faciliter la tâche (cf. p. 146)

Entourez-vous de gens qui vous appuient; plus que quiconque la mère d'un prématuré a besoin d'encouragement. Soyez ferme et déterminée lorsqu'on essaie d'éteindre votre enthousiasme au sujet de l'allaitement.

Si votre bébé est trop petit pour l'allaiter il est important de le prendre, de le toucher et de le caresser ne serait-ce qu'au travers de l'incubateur. Des recherches ont démontré qu'un prématuré qui est touché, caressé et qui entend la voix de sa mère progresse plus rapidement qu'un autre qui n'a pas cet avantage.

Il est très difficile de partir de l'hôpital les bras vides, sans son bébé; on sent comme si une partie de nous-même avait été amputée. La seule chose que l'on peut faire pour ce petit être est de lui apporter la meilleure nourriture qui existe pour lui : notre lait. Si on vous a donné des médicaments pour arrêter la montée de lait, tout n'est pas perdu, vous pouvez refaire votre sécrétion lactée. Les premières fois que vous extrairez votre lait vous n'aurez peut-être que quelque gouttes mais ne perdez pas espoir, votre lait reviendra si vous persévérez. Si vous n'avez pas pris de médicaments vous extrairez probablement une plus grande quantité que les besoins de votre bébé. Il est toujours préférable d'en extraire plus que moins. De toutes façons, que votre production soit plus ou moins grande que la demande de votre bébé ce n'est pas très grave. Quand le bébé sera à la maison votre production s'adaptera à la succion du bébé.

Pour ce qui est des menstruations, il est possible qu'elles reviennent plus tôt que si vous allaitiez un bébé à terme. Cependant, il est possible aussi lorsque le bébé sera plus gros et tètera plus vigoureusement que vos menstruations cessent à nouveau.

La «césarienne»

Si vous accouchez par voie césarienne, vous pouvez allaiter votre bébé. En plus des avantages dont toute femme bénéficie en allaitant, celle qui accouche par voie césarienne en profite encore plus que quiconque, car l'allaitement au sein fait contracter l'utérus. C'est un facteur important qui peut vous aider à guérir plus rapidement que si vous donniez le biberon. Une femme dont la «césarienne» n'était pas prévue, nous raconte ceci : *«Lorsqu'on m'annonça, dans la salle d'accouchement qu'on devait me faire une césarienne, j'eus un sentiment de frustration indescriptible : je ne verrai pas naître mon bébé, je ne pourrai pas le tenir dans mes bras. Heureusement que j'ai choisi d'allaiter, car ce rapprochement chaleureux qu'apporte l'heure de la tétée, nous a permis d'oublier l'éloignement subi lors de l'accouchement.»*

Tout d'abord, annoncez à votre médecin que vous désirez allaiter aussitôt que possible. Certains médecins ont encore tendance à décourager une femme, accouchée par voie césarienne, qui manifeste le désir d'allaiter. Soyez ferme : votre bébé vous appartient et vous avez le droit d'allaiter, si vous le désirez.

On vous apportera votre bébé aussitôt l'effet de l'anesthésie passé, ce qui veut dire environ 24 heures après l'accouchement, et peut-être moins, si l'anesthésie fut locale (épidurale). Certaines femmes opérées sans anesthésie générale allaitent au sortir de la salle d'opération.

Lorsque l'infirmière vous apporte votre bébé la première fois, demandez-lui de l'aide pour vous installer confortablement.

Il est possible que votre lait arrive un peu plus tard que si vous aviez accouché normalement, dû surtout au fait que vous avez mis votre bébé au sein un peu plus tardivement. Toutefois, ne vous en faites pas, il arrivera et vous en aurez autant qu'une femme accouchée normalement, et le bébé n'en souffrira pas.

Certaines femmes, même, se sentent suffisamment en forme, vers le troisième jour, pour demander la cohabitation. Faites-le savoir à votre médecin. Les avantages de la cohabitation compensent souvent pour la séparation imposée durant les premières heures.

Il est très important, à votre retour à la maison, d'avoir de l'aide pour les repas et les travaux ménagers. Les femmes accouchées par voie césarienne, ayant choisi l'allaitement, apprécient particulièrement le fait de ne pas avoir de formules à préparer, de biberons à stériliser.

L'accouchement par voie césarienne n'est sûrement pas l'idéal, mais l'allaitement maternel compense grandement pour tous les désagréments.

La jaunisse

Plusieurs médecins et pédiatres font sevrer automatiquement un bébé atteint de jaunisse ou du moins font suspendre l'allaitement pendant quelques jours. Pourtant, ce n'est que dans de rares cas qu'un sevrage de quelques jours s'impose. Pour bien comprendre ce phénomène, j'ai demandé à un médecin, Hélène Cantlie (cf. préface) les causes et les implications de la jaunisse en rapport avec l'allaitement.

«Avant la naissance, le sang du bébé est très riche en globules rouges pour pouvoir capter le plus d'oxygène possible du sang de la mère, à travers le placenta. Comme l'air ambiant est beaucoup plus riche en oxygène, le nouveau-né n'a plus besoin de ces globules rouges. Ceux-ci sont donc détruits, libérant de l'hémoglobine que le foie transformera en bilirubine. La bilirubine est ensuite conjuguée par les cellules du foie et c'est sous cette forme qu'elle est excrétée dans la bile et donc dans les selles. La jaunisse se produit lorsque la bilirubine s'accumule dans le sang, au lieu d'être excrétée complètement. Elle peut donc avoir plusieurs causes.

1. Trop de globules rouges sont détruits : c'est le cas des incompatibilités sanguines (ABO ou Rh) où les anticorps du sang de la mère détruisent les globules rouges du bébé, les anticorps pénètrent dans le système du bébé avant la naissance seulement : c'est tout comme si on avait donné à un bébé une solution d'anticorps. Le colostrum et le lait maternel qui en contiennent très peu ne présentent donc aucun danger pour l'enfant.

Les globules rouges peuvent aussi être détruits dans des cas d'infection, par les toxines des bactéries. Le lait maternel, avec ses facteurs anti-infectieux, est alors tout indiqué.

2. Parfois les canaux biliaires sont bloqués : la bilirubine ne peut donc sortir dans les selles par la bile, et l'ictère s'ensuit.

3. Enfin, il se peut que les cellules du foie ne fonctionnent pas bien. Cela se passe, par exemple, chez les prématurés dont le foie n'est pas suffisamment développé, ou dans les cas de troubles métaboliques tels l'hypothyroïdie (le lait maternel est riche en thyroxine pouvant donc pallier à ce manque), ou l'hypoglycémie (qui peut être évitée par des boires fréquents dès la naissance).

4. Parfois des médicaments tels que ceux utilisés lors de l'épidural ou encore des hormones prises en fin de grossesse empêchent l'action de la «glucoronyle transférase» (une enzyme qui conjugue la bilirubine). Le prégnandiol, un dérivé de la progestérone, que l'on rencontre rarement dans le lait maternel, agit de cette façon. Cette cause de jaunisse diffère des autres en ce qu'elle commence d'habitude plus tard (vers le 3e jour de vie), et peut durer plus longtemps (jusqu'à deux mois). Si le bébé a des frères et des soeurs qui ont été allaités, ils ont tous présenté une jaunisse à la naissance. (Si le lait maternel contient du prégnandiol, l'on y retrouvera toujours cette hormone).

Comme des taux très élevés de bilirubine (plus de 20-25 mg %) peuvent parfois causer du dommage au cerveau, le médecin doit traiter à la fois la cause de la jaunisse, et l'augmentation de la bilirubine.

Les transfusions d'échanges (en cas d'incompatibilité sanguine), les antibiotiques, la chirurgie (lorsque les canaux sont bloqués), l'hormonothérapie (pour hypothyroïdie) font partie du traitement suivant la cause de l'ictère.

Pour abaisser le taux de bilirubine, le médecin peut utiliser la photothérapie (des lampes néon, ou la lumière du soleil peuvent aider les cellules de la peau à conjuguer la bilirubine). Comme l'enfant doit alors passer un maximum de temps sous la lampe, il vaut mieux allaiter souvent et brièvement (15 minutes aux 2 heures).

Pour aider les cellules du rein à excréter la bilirubine, on peut donner au bébé un surplus de liquides (suppléments d'eau sucrée). Il serait peut-être préférable de l'allaiter plus souvent, le lait maternel étant riche en eau «libre». Pour accélérer le métabolisme de la bilirubine au niveau du foie, on donne parfois des barbituriques (phénobarbital) qui, tout comme l'ictère, peuvent rendre l'enfant somnolent. Il importe alors d'éveiller l'enfant pour le nourrir afin d'éviter qu'il ne se déshydrate.

***Seule** la jaunisse due à la présence du prégnandiol dans le lait maternel nécessite parfois une interruption temporaire de l'allaitement. En effet, si le taux de bilirubine dépasse 17 ou 18 mg%, votre médecin peut recommander un arrêt de 24-48 heures. Ceci donne au foie le temps d'éliminer le surcroît de bilirubine. Extrayez alors votre lait aux deux heures pendant le jour et une fois la nuit. La jaunisse durera après la reprise de l'allaitement mais elle sera rarement aussi forte. Aucun cas de dommage cérébral n'a encore été associé à une jaunisse due au lait maternel.»*

La mère qui travaille

Est-ce possible de travailler à l'extérieur et d'allaiter son enfant ? Bien que cela demande des efforts supplémentaires, cela est possible. Beaucoup de mères le font et sont heureuses de le faire. D'ailleurs si on regarde dans l'histoire, dans beaucoup de civilisations, les femmes ont combiné le travail à l'extérieur de la maison et la maternité. Cependant, le travail n'était pas aussi exclu de la vie familiale qu'il l'est maintenant. Souvent les femmes travaillaient aux champs et le bébé était dans le dos de la mère ou dans un panier à côté d'elle. C'était une détente pour la femme que d'arrêter et de nourrir le petit. Maintenant, dans certains pays comme la Chine, on installe des garderies en milieu de travail, où les femmes ont le loisir d'allaiter leurs bébés pendant la pause et les heures des repas.

Cette pratique commence à voir le jour dans certains de nos milieux mais il y a encore beaucoup de chemin à faire avant que ce soit chose courante. Plusieurs femmes, surtout en milieu professionnel amènent leur bébé avec elles au travail. Certaines personnes réagissent négativement mais la plupart des gens sont favorables surtout lorsqu'ils constatent qu'un bébé nourri au sein est généralement plus calme et plus satisfait que la moyenne des bébés. On a qu'à penser à la député Sheila Copps dans le cabinet fédéral qui amenait son bébé avec elle à son bureau du Parlement canadien. Bien sûr, toutes les femmes n'ont pas cette liberté mais si vous croyez qu'il y a une ouverture à votre travail, si petite soit-elle il vaudrait peut-être la peine d'essayer. Commencez par demander la permission de l'amener pour une journée ou deux. Si tout se passe bien on aura peut-être pas objection à ce que vous l'ameniez pour quelques semaines. Vous créerez peut-être un précédent mais il faut bien que quelqu'un commence.

De plus en plus de femmes retournent sur le marché du travail après un congé de maternité, que ce soit pour poursuivre une carrière ou pour des raisons financières. Cela demande une certaine organisation et de la coopération de la part de votre mari, afin que vous soyez séparée le moins possible de votre bébé et que ses besoins soient satisfaits autant que la situation le permet. Voici quelques suggestions :

- Le congé statutaire de maternité étant de quatre mois, profitez-en bien. Les deux premiers mois, le bébé réclame le sein souvent et d'une façon assez régulière. Vous avez besoin également de ces premiers mois pour établir une bonne sécrétion lactée, ainsi qu'une bonne relation mère-enfant.

- Peut-être pouvez-vous prendre un travail à temps partiel ou encore un travail à la maison ?

- Avant de partir pour le travail, nourrissez votre bébé. C'est sûrement le plus beau bonjour que vous puissiez lui faire. Laissez quelques biberons de votre lait à la gardienne, selon le nombre d'heures que vous vous absentez.

- Apportez des contenants stériles à votre travail, et extrayez votre lait durant la pause-café. S'il n'y a pas de réfrigérateur disponible, apportez un sac thermos rempli de glace, pour y mettre votre contenant de lait. Retirez-vous dans un coin tranquille pour extraire votre lait (cf. conservation et extraction du lait, p. 143)

- Le midi, essayez de vous rendre chez vous ou chez la gardienne, afin de nourrir votre bébé. Sinon, vous devrez de nouveau extraire votre lait, car cela est nécessaire à votre production lactée.

- De retour à la maison, à la fin de la journée, votre bébé manifestera probablement son impatience et désirera être allaité. Il vous a manqué et vous lui avez manqué aussi. Il vous sera agréable en entrant, de vous asseoir ou de vous allonger avec votre bébé au sein. Demandez à la gardienne de préparer le souper avant que vous arriviez ou encore, préparez-le la veille au soir. Prévoyez des mets qui se réchauffent facilement, comme des casseroles qui vont au four.

- Nourrissez de nouveau dans la soirée et durant la nuit. La tétée de la nuit est très importante pour votre sécrétion lactée et pour l'intimité avec votre bébé. Il souffrira moins du manque de contact physique, s'il peut dormir avec vous. Mettez-lui deux bonnes couches pour ne pas avoir à le changer et prenez-le avec vous dans votre lit. Vous pourrez sommeiller en même temps et perdrez moins de sommeil de cette façon.

- Durant les jours de congé, nourrissez-le autant qu'il en manifeste le désir.

Judith V. commente son expérience comme suit :

«Étant mère célibataire, je devais retourner travailler après l'accouchement pour gagner ma vie. Même si je ne lui consacrais pas tout le temps que j'aurais voulu, en allaitant mon bébé j'avais, au moins, l'impression que les quelques heures que nous passions ensemble, étaient vraiment pleines. Si j'avais nourri au biberon, il me semble qu'il n'aurait pas fait la différence entre moi et la gardienne. Tout le monde pouvait lui donner son lait au biberon, mais il n'y avait que moi qui pouvait lui procurer la chaleur du sein maternel.

Pendant les quatre premiers mois, environ un quart de son lait provenait d'une formule, mais lorsqu'il commença les solides vers l'âge de cinq mois, il buvait à la tasse et avait abandonné complètement le biberon. Par la suite, je l'ai nourri 4-5 fois par jour, surtout le soir et la nuit, jusqu'à l'âge de vingt-deux mois. Je peux dire que même si j'aimais être avec lui tout le temps, l'allaitement a sûrement minimisé les conséquences de mon travail à l'extérieur.»

Les jumeaux

Nourrir des jumeaux semble beaucoup moins compliqué que de préparer seize biberons de formule par jour. Avec le sein, vous pouvez nourrir les deux en même temps, tandis qu'au biberon, vous devez en laisser un tout seul. Comme les jumeaux sont, quelquefois, plus petits que la moyenne, ils bénéficient encore plus des avantages du lait maternel.

Bien que l'allaitement sur demande soit l'idéal, on ne peut pas demander l'impossible à une femme qui nourrit des jumeaux. Adaptez votre horaire au bébé le plus affamé, et lorsqu'il réclame le sein, réveillez son frère ou sa soeur si vous désirez les allaiter simultanément. Alternez chaque sein avec chaque bébé, afin que

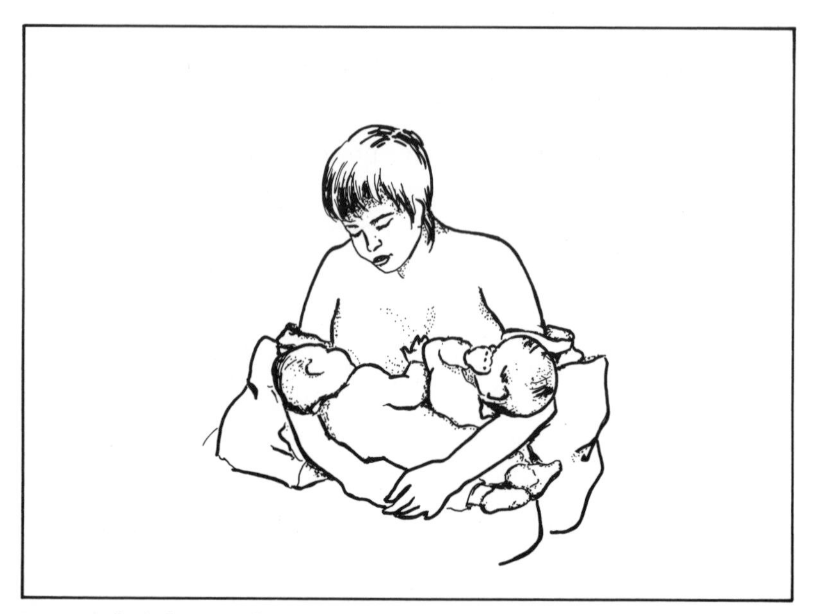

Les corps des bébés se croisent et sont supportés par les mains de la mère. Les bras de la mère sont supportés par des oreillers.

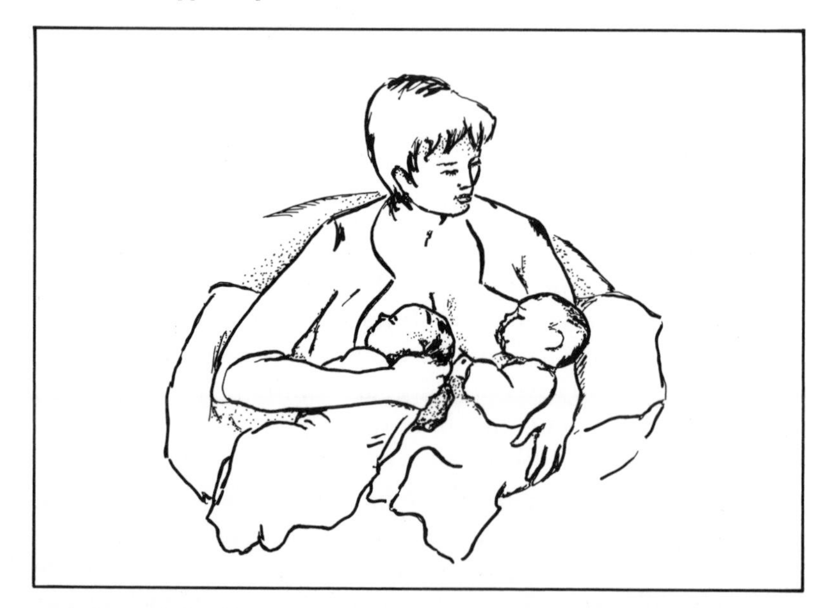

Les bébés regardent dans la même direction. Des oreillers sous les bras de la mère facilitent la tâche.

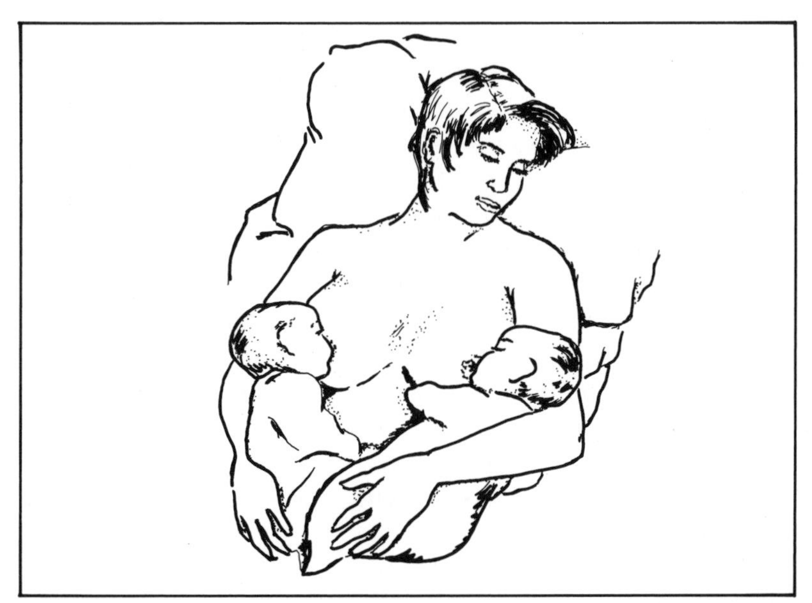

La mère est presque complètement couchée sur le dos avec deux oreillers sous la tête, les corps des bébés formant comme un "V". Bonne position pour les tétées de la nuit.

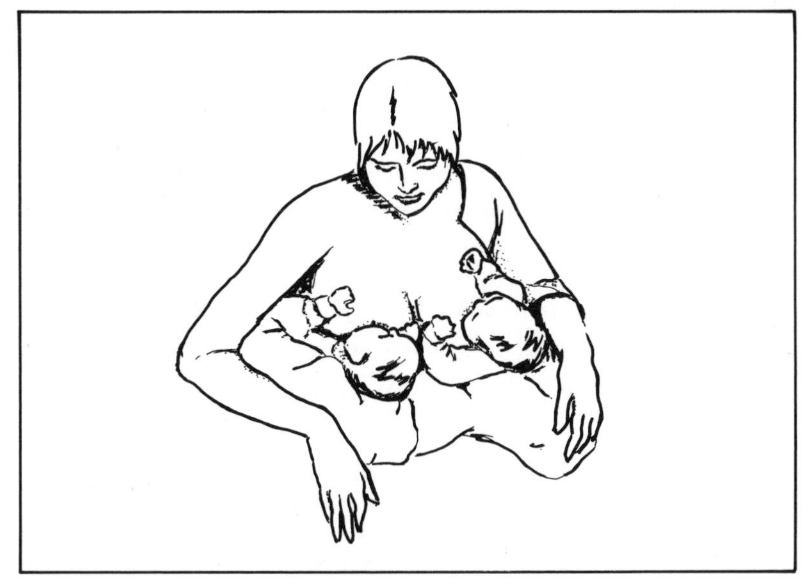

La mère tient les jumeaux un peu comme on tient un ballon de football. Le corps des bébés passe sous les bras de la mère, les pieds derrière le dos de celle-ci.

chacun bénéficie des deux côtés. Ou encore, si l'un des deux est beaucoup plus petit, donnez-lui le meilleur sein, pour quelque temps.

Une mère me disait qu'elle assignait un sein pour chaque bébé et qu'elle changeait à chaque jour. La plupart des femmes lorsqu'elles allaitent les bébés séparément offrent les deux seins pendant la même tétée et lorsqu'elles nourrissent simultanément gardent les bébés au même sein durant toute la tétée.

Certaines femmes préfèrent allaiter les deux bébés simultanément, tandis que d'autres préfèrent les nourrir individuellement, du moins pour certaines tétées, afin que chacun bénéficie d'une attention individuelle. Cela dépendra de vous et de l'appétit de vos jumeaux. Si vous allaitez simultanément, vous devez trouver une position dans laquelle vous et les jumeaux serez confortables.

Madeleine R., mère de jumeaux, nous dit qu'elle préfère allaiter assise, dans un bon fauteuil, un oreiller sous chaque bras, le corps du bébé reposant sur chaque cuisse.

Vous pouvez également allaiter semi-couchée, en mettant chaque bébé sur le côté, faisant reposer leurs pieds derrière vous. Vous pouvez aussi en prendre un sur votre cuisse, son estomac servant d'oreiller à l'autre.

Vous constaterez peut-être qu'un des deux bébés a besoin de faire un rot alors que l'autre n'est pas prêt à arrêter. Vous pouvez asseoir un bébé pendant que l'autre continue à boire ou encore le coucher sur le ventre à côté de vous pendant que vous frottez son dos. Si les deux veulent faire un rot en même temps vous pouvez les coucher tous les deux sur vos jambes ou encore un sur vos jambes et l'autre par dessus votre épaule.

N'oubliez pas que la loi de l'offre et de la demande vaut autant pour deux enfants que pour un ! Votre sécrétion lactée s'adaptera et vous aurez autant de lait qu'il en faudra.

Vous remarquerez probablement une augmentation considérable de votre appétit et de votre soif pendant cette période d'allaitement. Suivez vos besoins et alimentez-vous sainement.

Les triplets

Si vous avez la joie (ou le choc !) d'apprendre que vous aurez des triplets ne dites pas adieu à votre projet d'allaitement. S'il est possible d'allaiter des jumeaux il est possible d'allaiter des triplets. Certaines mères en allaitent deux en même temps, d'autres nourrissent individuellement. Il est important de se faire une charte et de noter quel bébé a bu, quand et à quel sein. Vous aurez peut-être besoin de suppléments mais plusieurs ont réussi sans aucun supplément.

Si vous allaitez des jumeaux ou des triplets il est très important de contacter la Ligue La Leche afin de recevoir tout le support et l'information nécessaire.

Rétablir la sécrétion lactée

Il se peut que vous manifestiez le désir d'allaiter votre bébé alors que celui-ci a quelques jours ou même quelques semaines. On vous a donné des médicaments pour empêcher la montée laiteuse, car au moment de l'accouchement, vous ne désiriez pas allaiter. Ou encore, vous avez allaité dès la naissance, mais vous avez arrêté pour une raison ou une autre et vous aimeriez reprendre. Il vous est possible de le faire à condition d'y consacrer le temps et l'énergie nécessaires.

Tout d'abord, plus votre bébé aura été nourri au biberon, plus il vous faudra de patience pour lui enseigner à prendre le sein. Le lait coule plus facilement d'un biberon que du sein, et le rend, par conséquent, plus paresseux.

Avant chaque boire, mettez-le d'abord au sein. S'il hurle à fendre l'âme, apaisez un peu sa faim en lui donnant environ le tiers de sa formule habituelle. Essayez de nouveau le sein. S'il l'accepte, laissez-le téter aussi longtemps qu'il voudra; s'il refuse, ne désespérez pas, il ne faut surtout pas que s'installe une bataille entre votre bébé et vous. Demeurez calme et confiante, c'est la seule façon d'y arriver. Si après quelques jours, il ne veut toujours pas téter, délayez progressivement sa formule avec de l'eau; la faim l'incitera probablement à prendre le sein. Dès que votre bébé acceptera le sein, vous réduirez le nombre de millilitres par biberon, afin que sa succion soit plus vigoureuse. Lorsque vous commencerez à sentir le lait dans vos seins, vous pourrez éliminer complètement les biberons; nourrissez-le au moins à toutes les deux heures jusqu'à ce que votre sécrétion lactée soit bien établie.

Voici quelques petits trucs suggérés par des mamans qui ont fait ce genre d'expérience :

- Allaitez le bébé alors qu'il est encore endormi, il fera moins la différence entre le sein et le biberon.

- Faites des trous plus petits dans la tétine de son biberon. Il apprendra ainsi à téter plus vigoureusement.

- Mettez un peu de sirop de maïs sur le mamelon. Le goût sucré l'incitera peut-être à téter.

- Mettez un peu de lait au compte-gouttes dans le coin de sa bouche, pendant qu'il est au sein, pour l'encourager à téter.

- Prenez de la levure de bière. Buvez beaucoup de liquides. À partir du moment où votre bébé accepte le sein, cela peut prendre d'une semaine à un mois avant de restaurer votre sécrétion lactée. Cela dépend de l'âge du bébé, du temps qu'il a passé au biberon et de sa vigueur de succion. Il serait bon, pendant cette période, d'avoir la collaboration de votre médecin, d'une femme expérimentée de La Leche ou d'une infirmière sensibilisée à la pratique de l'allaitement. Le secret pour réussir cette expérience est d'y croire fermement. Dites-vous que, si des femmes n'ayant jamais enfanté ont réussi à allaiter leurs bébés adoptés, vous êtes sûrement capables de réussir. Dans certaines civilisations, lorsqu'une femme avait des jumeaux, elle en confiait un à la grand-mère; même si elle n'avait pas allaité depuis des années, cela ne prenait pas beaucoup de temps avant que son lait revienne, car elle y croyait tout simplement et ne se posait pas trop de questions. Ce que la confiance peut faire ! Si vous désirez allaiter un bébé adopté, cela est possible, bien que très difficile. La Ligue La Leche connaît plusieurs mères qui ont tenté l'expérience.Si vous désirez plus de renseignements, contactez La Leche de votre région.

L'hospitalisation

Si votre bébé doit être hospitalisé, vous obtiendrez probablement la permission de demeurer avec lui, au moins jusqu'au coucher. Ainsi, vous pourrez continuer à l'allaiter et il sera moins perturbé par son séjour hospitalier. Si vous ne pouvez demeurer avec lui tout le temps, extrayez votre lait et apportez-le à l'hôpital. Nourrissez-le, cependant, chaque fois que vous le visitez, afin qu'il ne perde pas complètement l'habitude de téter.

Si c'est la mère qui doit être hospitalisée et si votre condition vous le permet, vous pouvez demander à votre mari ou à une gardienne de vous apporter le bébé, quelques fois par jour, afin de l'allaiter. Si cela est impossible et que vous désirez continuer l'allaitement une fois de retour à la maison, demandez à votre médecin de laisser des instructions aux infirmières, afin que celles-ci viennent pomper vos seins, si vous n'êtes pas capable de le faire vous-même. Vous rencontrerez peut-être des oppositions, mais si vous le désirez vraiment, insistez, c'est votre droit le plus strict. Si vous désirez sevrer votre bébé, prévoyez à l'avance, afin que le sevrage soit progressif.

Les menstruations - Une nouvelle grossesse

Si vous allaitez sur demande et si vous n'introduisez les solides que vers l'âge de six mois, il est probable qu'aucune menstruation n'apparaisse avant que votre bébé ait 8 mois. Sheila Kippley, auteur du livre *Breast-Feeding and Natural Child Spacing* (espacer les enfants d'une façon naturelle par l'allaitement) soutient que les risques de concevoir pendant la période d'allaitement, si celui-ci est pratiqué sans restriction, sont d'environ 6%. Toutefois, il vaut mieux ne pas compter sur la chance et utiliser une autre méthode contraceptive.

Lorsque vos menstruations apparaissent, vous pouvez continuer d'allaiter votre bébé sans problème. Certaines personnes mal renseignées vous diront peut-être que vous n'aurez pas assez de lait ou encore que votre lait ne sera pas bon. Tout cela est faux. Si vous êtes particulièrement fatiguée avant ou pendant vos menstruations, il est possible que vous ayez un peu moins de lait pendant quelques jours mais cela est dû à la fatigue et non aux menstruations comme telles. Si l'on pense que le lait change de goût c'est souvent relié aux tabous qui considèrent les menstruations comme quelque chose de sale et de répugnant. Le lait ne change pas de goût et est aussi nourrissant qu'en temps normal. Il peut arriver que même une fois vos menstruations revenues, vous passiez un ou plusieurs mois sans règles. Cela se produit lorsque le bébé augmente soudainement la fréquence des tétées, ce qui a pour effet de retarder les menstruations.

Si vos menstruations réapparaissent, soyez vigilante quand à la quantité de liquides que vous prenez; il est important de boire beaucoup encore plus en période menstruelle.

Supposons que vous deveniez enceinte pendant que vous allaitez encore votre bébé. Même s'il est préférable de sevrer avant l'arrivée de l'autre enfant, il n'est pas nécessaire de vous précipiter; vous avez plusieurs mois pour le faire et il est toujours préférable de sevrer progressivement.

Il est relativement facile de sevrer un bébé pendant la grossesse car vers le quatrième mois le lait diminue considérablement et se transforme graduellement en colostrum. Le sein devient alors inintéressant pour l'enfant car il est plutôt vide et le lait a changé de goût. Aussi, une mère est généralement plus motivée à sevrer pendant la grossesse, ce qui semble faciliter les choses. De plus, il arrive souvent que les mamelons deviennent plus sensibles et que les nausées augmentent si le bébé boit au sein pendant la grossesse, ce qui rend parfois l'allaitement désagréable.

Certaines femmes, malgré leur tentative de sevrer leur enfant, se retrouvent au bout de 9 mois avec 2 bébés au sein. Lise R. mère de 8 enfants, nous raconte son expérience : *«J'ai allaité mes 8 enfants et il m'est arrivé à deux reprises d'allaiter jusqu'à la grossesse subséquente. Dans le premier cas, mon comportement moins enthousiaste face à l'allaitement et la diminution de la production lactée ont amené l'enfant à se désintéresser progressivement du sein. Dans le deuxième cas, ce fut différent. Même si le lait avait fait place au colostrum, l'enfant réclamait toujours le sein deux fois pas jour. J'ai tout essayé pour l'amener au sevrage complet mais sans succès. Cette relation semblait d'une extrême importance pour lui et pour cette raison je n'ai pas voulu le brusquer. Je me suis donc retrouvée avec deux enfants au sein. L'aîné (Olivier) avait deux ans quand Mathieu est né. Au début je devais limiter les tétées d'Olivier afin que le nouveau-né ne soit pas privé... Le plus gros avantage à mon avis, à nourrir deux enfants est que la jalousie typique d'un enfant de deux ans envers le nouveau-né n'existe à peu près pas...».*

Plusieurs se demanderont si allaiter un bébé pendant la grossesse peut provoquer une «*fausse couche*» ou un accouchement prématuré. Les médecins conseillers de la Ligue La Leche affirment qu'il n'y a aucun danger et à ma connaissance, aucune étude pertinente n'a démontré qu'il existe un lien entre l'allaitement en période de grossesse et les «*fausses couches*». Cependant, chez certaines femmes qui ont un utérus très sensible ou celles qui souffrent d'une incompétence du col de l'utérus, l'allaitement pendant les derniers mois de la grossesse, peut provoquer des contractions. Si vous êtes «à risques» il vaut mieux vous abstenir.

Il reste que c'est une petite minorité de femmes qui peuvent se permettre de faire cette expérience. Si cela vous arrive, prenez bien soin de vous : beaucoup de repos, une bonne alimentation, des suppléments vitaminiques conseillés par votre médecin. Si votre enfant est encore au sein à l'arrivée du petit bébé et qu'une tétée occasionnelle semble très importante pour lui, donnez-la lui, mais n'oubliez jamais que le nouveau-né doit toujours passer en premier.

La conservation et l'extraction du lait maternel

Si vous devez extraire votre lait pour un nouveau-né, un prématuré, un bébé malade ou une banque de lait et si le lait doit être congelé, tout l'équipement (tire-lait, tasse, biberons, couvercles, etc.) doit être stérilisé.

Par contre si le lait retiré est destiné à un bébé en santé d'un mois et plus et dans les 48 heures qui suivent, tout doit être rigoureusement propre (bien lavé, bien rincé) sans nécessairement être stérilisé. Le lait maternel se conserve deux jours au réfrigérateur. Pour le réchauffer, passez-le tout simplement sous le robinet d'eau tiède en augmentant la température de l'eau jusqu'à ce que le lait soit à la bonne température.

Le lait se conserve deux semaines dans le congélateur de votre réfrigérateur. Il peut se conserver un peu plus longtemps si on ouvre rarement la porte; de plus il semble que la température des congélateurs ne soit pas toujours exactement la même. Certaines femmes le conservent plusieurs semaines mais je crois qu'il vaut mieux être prudent, en l'y laissant moins longtemps.

Par contre dans un gros congélateur séparé vous pouvez le conserver jusqu'à deux ans. Ayez soin de placer les contenants dans le fond.

Vous pouvez ajouter du lait frais à un bocal de lait déjà congelé, toutefois faites-le refroidir avant, car le lait chaud pourrait dégeler la couche supérieure du lait congelé. Ne remplissez jamais les contenants jusqu'au bord; l'expansion par la congélation pourrait les faire craquer. Inscrivez la date de la collecte sur les bocaux.

Pour dégeler le lait, placez le contenant sous le robinet d'eau froide en augmentant la température de l'eau jusqu'à ce que le lait soit à la température désirée. S'il reste du lait dégelé après un boire, il peut se conserver de 2 à 4 heures au réfrigérateur. **Ne jamais recongeler.**

Le lait maternel, contrairement aux formules, est un lait cru qui n'a subi aucune transformation; pour cette raison il peut quelquefois adhérer au biberon. Son apparence peut être jaunâtre, bleuâtre ou blanche et crémeuse selon qu'il contienne du colostrum, qu'il soit extrait au début ou à la fin d'une tétée.

L'extraction manuelle du lait

- Lavez vos mains avant de procéder.

- Commencez par faire un massage du sein pour aider à faire descendre le lait.

- Placez vos mains *sous* le sein et les pouces *sur* le dessus du sein.

- Poussez le sein contre la poitrine en laissant ressortir le mamelon et l'aréole.

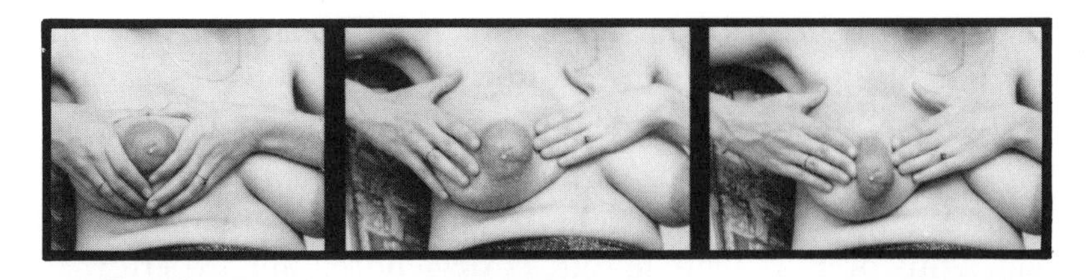

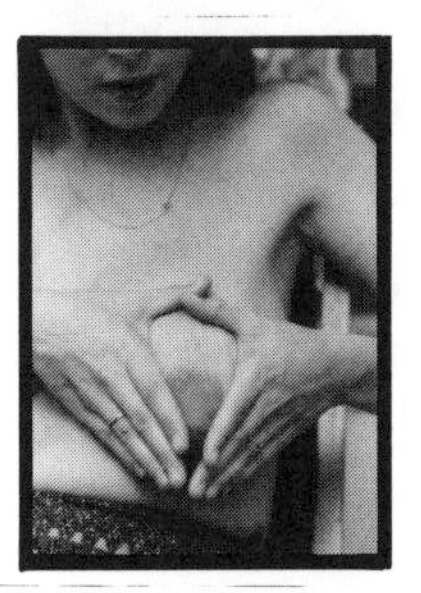

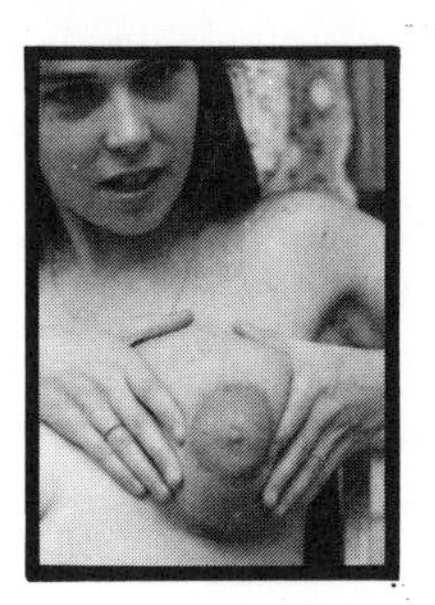

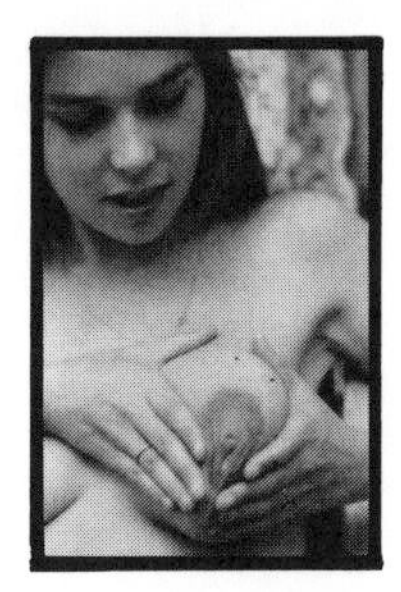

- Rapprochez les doigts en serrant, jusqu'à l'aréole. Ayez soin de faire le tour du mamelon afin de vider tous les canaux lactifères.

- Ne vous découragez surtout pas s'il ne vient que quelques gouttes au début. Cela ne veut pas dire que vous n'avez pas de lait. Vous prendrez vite le tour et deviendrez une experte.

- Alternez de chaque côté à toutes les 3 à 5 minutes pour donner la chance au lait de traverser les canaux lactifères.

L'utilisation d'un tire-lait

Il faut être très prudente en se servant d'un tire-lait manuel, mécanique ou électrique, car la succion forte et soutenue risque d'endommager le mamelon. Ne l'utilisez jamais si, au départ, vos mamelons sont crevassés. Le tire-lait fonctionne par aspiration, ce qui est différent de la succion du bébé, qui elle ressemble plutôt à une morsure, comme lorsque vous tirez le lait manuellement. Plusieurs femmes utilisent le tire-lait, pour partir; et lorsque le réflexe de sécrétion est déclenché, elles préfèrent continuer à la main.

- Le tire-lait électrique est généralement accompagné d'instructions et il est préférable de l'emprunter ou de le louer car son prix est assez élevé. Certaines pharmacies et certains groupes de La Ligue La Leche louent ces appareils. Commencez par 2 ou 3 minutes de chaque côté et augmentez progressivement. Vous pouvez installer la pompe d'un côté pendant que le bébé boit de l'autre. La succion du bébé fait déclencher le réflexe de sécrétion plus facilement.

- Vous pouvez vous procurer un tire-lait manuel dans une pharmacie. Placez la partie en verre (ou en plastique selon la marque) pour qu'il couvre bien le mamelon et lorsque vous pompez, veillez bien à ce que le mamelon s'allonge également. Un mamelon mal étiré peut s'abîmer. Quand la petite bulle est remplie, videz-la et recommencez. Lavez bien le tire-lait après chaque usage.

CHAPITRE 10

L'alimentation pendant l'allaitement

(Médicaments - Drogues - Polluants)

Comment se fait-il que des femmes vivant dans des pays sous-développés et s'alimentant d'une façon plus ou moins adéquate, parviennent à produire une quantité raisonnable de lait pour leurs bébés ?

Par exemple, une recherche faite aux Indes, auprès de femmes pauvres et de femmes provenant de milieux aisés, a démontré que la suralimentation basée sur des aliments riches en sucre raffiné et en graisse est plus nuisible à l'allaitement que la sous-alimentation elle-même.

Des enquêtes sur la nutrition, par ailleurs, ont fait remarquer que le membre de la famille qui s'alimente le plus mal est la mère de famille. Même si elle prépare de bons repas pour les siens, elle est souvent trop fatiguée, à l'heure des repas, pour bien manger; elle se nourrira donc, entre les repas, de sandwichs, de pâtisseries et de café.

Une femme qui s'alimente mal pendant la période d'allaitement met en péril sa propre santé plutôt que celle du bébé, car l'alimentation affecte très peu la qualité du lait. C'est ainsi que les

femmes vivant dans les pays en voie de développement produisent un lait tout aussi nutritif que les nord-américaines, par exemple.

La mère qui allaite doit consommer entre 500 et 1 000 calories de plus par jour, mais en prenant bien soin que ces calories supplémentaires soient composées d'aliments sains.

Les aliments à conseiller

Il n'y a pas d'aliments comme tels qui donnent du lait. Mais il y a certes des aliments qui favorisent une bonne santé et, par conséquent, une meilleure disposition d'esprit, facteur indispensable à l'allaitement.

- En plus d'une alimentation riche en protéines de toutes sortes, aussi bien animales que végétales, la femme qui allaite aura avantage à consommer des aliments riches en vitamine B. Levure de bière, germe de blé, céréales à grains entiers en sont d'excellentes sources. La vitamine B est reconnue pour être la vitamine anti-fatigue et anti-stress. Plus une personne travaille fort et plus elle perd de sommeil, plus ses besoins en vitamine B sont importants.

- La femme qui vient d'accoucher et qui allaite, par surcroît, doit refaire ses provisions de fer. Le foie, les légumes verts, les fruits secs, la mélasse, les oeufs consommés régulièrement, lui fourniront le fer nécessaire.

- Une consommation quotidienne de produits laitiers (lait, fromage, yogourt, lait fortifié, recette page 112) assurera la quantité de calcium requise.

- Mangez des fruits et légumes variés et frais autant que possible.

- Si vous vous sentez fatiguée, révisez votre régime. Une alimentation déficiente en est souvent la cause. Si vous n'avez aucune idée de ce que peut représenter une alimentation équilibrée, vous auriez avantage à consulter votre médecin ou un nutritionniste.

Les aliments à surveiller

Certains légumes sont, non pas à supprimer, mais à surveiller de près. Les choux, choux-fleurs, brocolis, choux de Bruxelles, maïs et légumineuses peuvent donner des gaz aux bébés. Certains enfants, par contre, ne manifestent aucune réaction et s'en accommodent bien.

D'autres légumes comme l'oignon, l'ail et l'asperge peuvent changer le goût du lait. Les palais fins remarqueront la différence, les autres laisseront passer. Les Italiennes qui consomment beaucoup d'ail, et qui allaitent en grand nombre, ne rencontrent jamais de problème, car l'ail fait partie de leur régime alimentaire et le bébé y est habitué. C'est ainsi qu'à la cérémonie du baptême, au lieu de mettre du sel sur la langue du bébé, on y frotte une gousse d'ail. Si vous n'en mangez qu'une fois par mois, il est probable que votre bébé s'en aperçoive, mais si vous en consommez régulièrement, votre bébé n'en souffrira probablement pas.

Tout ce qui est, pour vous, difficile à digérer, affectera probablement votre enfant.

Les aliments à éviter

Les desserts trop riches, le thé, le café, les aliments trop épicés, les charcuteries, les fritures sont à éviter autant que possible. Consommés occasionnellement, ils ne peuvent pas faire grand tort, mais régulièrement, ils peuvent stimuler votre bébé et le rendre nerveux. Le chocolat et tout ce qui contient du cacao donnent souvent des gaz au bébé et provoquent parfois la diarrhée.

Évitez de boire de grandes quantités d'alcool, car il passe dans le lait. Toutefois, une bière ou un verre de vin en mangeant ne nuira pas au bébé, et peut même produire un effet bénéfique sur votre production de lait. Après un verre de vin ou un cocktail, vous vous sentez détendue et votre lait coule plus facilement. Mais l'alcool doit tout de même demeurer occasionnel.

Les liquides

Il est important de boire plus que d'habitude pendant que vous allaitez, afin de conserver l'équilibre des liquides dans l'organisme et d'éviter de vous déshydrater. Faites-vous un devoir de prendre un verre d'eau, de jus ou de lait avant chaque tétée. Buvez chaque fois que vous sentez la soif; certaines femmes, absorbées par leur travail, oublient de boire.

Ce n'est pas le moment, pendant que vous allaitez, d'entreprendre des régimes amaigrissants ou tout autre régime que ce soit, végétarien, macrobiotique ou autre. Vous avez besoin de toute votre énergie, et un changement radical de vos habitudes alimentaires peut vous affaiblir. Remettez ces régimes à plus tard. C'est en plein le temps d'acquérir de bonnes habitudes alimentaires, sans pour autant vous astreindre à des régimes sévères.

Les médicaments

En prescrivant un médicament à une femme qui allaite, plusieurs médecins insistent, d'une façon routinière, pour sevrer le bébé. Très souvent, ils ne savent même pas si ce médicament est néfaste pour l'enfant. D'autres médecins, par contre, font la recherche nécessaire et essaient de prescrire un médicament équivalent ne présentant aucun danger pour le bébé.

Une femme, par exemple, forcée de prendre un antibiotique pour une dizaine ou une quinzaine de jours, devrait rarement être contrainte de sevrer son bébé. Il en existe qui présentent très peu d'effets secondaires pour le bébé.

Avant de prendre un médicament quel qu'il soit, consultez toujours votre médecin, mais assurez-vous que celui-ci a l'habitude de soigner des femmes qui allaitent.

Demandez-vous également si vous avez vraiment besoin de ce médicament. Ne pouvez-vous pas guérir autrement ? Par exemple, les calmants destinés à diminuer l'anxiété peuvent être remplacés par des exercices de respiration et de détente, des bains chauds, etc. Une infection mineure du sein se guérit souvent avec beaucoup de repos et des tétées fréquentes (voir chapitre 8). La marche au grand air, le son de blé et beaucoup de liquides viennent généralement à bout des constipations les plus tenaces; on peut alors éviter les laxatifs qui affectent souvent le bébé. Les conseillers médicaux de La Ligue La Leche affirment même qu'une mère diabétique peut nourrir son bébé, l'insuline n'étant pas une contre-indication à l'allaitement.

Avant de sevrer un bébé, pesez les avantages de l'allaitement et les inconvénients, souvent mineurs, d'une médication.

Les suppléments vitaminiques

La plupart des médecins conseillent à leurs patientes de prendre des suppléments vitaminiques pendant la grossesse et pendant la période de l'allaitement. Il arrive que ces vitamines soient responsables de coliques ou de réactions allergiques chez certains bébés. Si vous soupçonnez ces suppléments d'être la cause d'un dérangement chez votre bébé, arrêtez pour quelques jours. Si les symptômes disparaissent il y a de fortes chances pour que les suppléments en soient la cause.

Les drogues

Toutes les drogues telles marijuana, haschich, L.S.D., héroïne, cocaïne, opium, etc. passent dans le lait de la mère et peuvent affecter le bébé. Elles changent également le comportement de la mère et la rendent moins réceptive aux besoins de son bébé.

La pilule contraceptive

Étant donné que son système hormonal est impliqué pendant l'allaitement, une femme ne doit, en aucun cas, prendre «la pilule». Celle-ci a pour effet d'affecter la quantité et la qualité du lait maternel. Des études ont également démontré qu'elle avait des conséquences néfastes pour les bébés, en déséquilibrant, par exemple, le système hormonal de l'enfant.

La cigarette

La nicotine traverse le placenta pour atteindre le foetus et les grosses fumeuses donnent naissance à des bébés plus petits et sont plus exposées aux fausses couches et aux naissances prématurées. Il serait préférable de perdre cette habitude pendant la grossesse, pour en être totalement débarrassée en période d'allaitement.

La nicotine passe également dans le lait de la mère, dans une proportion d'environ 0.5 mg par litre de lait. Une femme qui fume un paquet et plus par jour et qui n'arrive pas à se contrôler, devrait s'abstenir d'allaiter. Son lait diminuerait et, par conséquent, son bébé serait insatisfait et ne prendrait pas assez de poids. Par contre, une femme qui sait se contrôler et peut arriver à ne fumer que quelques cigarettes par jour, peut allaiter sans problème. Si arrêter de fumer complètement présente un effort audessus de vos forces, il est préférable de fumer, de temps à autre, plutôt que de devenir une mère tendue et irritable. Il n'est pas nécessaire de priver votre bébé des avantages de l'allaitement maternel, si vous fumez raisonnablement. Fixez-vous une limite de cinq cigarettes par jour et faites-vous un devoir de ne pas la dépasser. Par-dessus tout, ne fumez jamais pendant la tétée.

Les «polluants» et le lait maternel

De plus en plus, de nos jours, nous sommes conscients de l'effet de la pollution sur notre environnement. Il faut évidemment s'en inquiéter et prendre les moyens nécessaires pour minimiser ses effets, mais il ne faut pas arrêter de vivre pour autant, car tout est contaminé : l'air que nous respirons, la nourriture que nous mangeons, l'eau que nous buvons; même les coins les plus reculés sont affectés par les retombées radioactives.

Le lait humain, comme le lait des autres animaux d'ailleurs, est victime de cette pollution. Lorsqu'on a découvert que le lait maternel contenait plus de DDT et de BPC que le lait de vache, les alarmistes ont sauté sur cette occasion pour inciter les femmes à abandonner l'allaitement au sein. Pourtant, de toutes les études faites sur le sujet par des médecins et biochimistes réputés, aucune ne mentionne qu'il faut abandonner l'allaitement. Au contraire, toutes insistent sur le fait que la quantité de matières polluantes contenue dans le lait maternel n'est pas assez importante pour causer du tort au bébé, et que les avantages de l'allaitement compensent grandement pour la petite proportion de polluants présente dans le lait de la femme.

Ce que les alarmistes oublient souvent de mentionner, c'est que même si le lait humain contient plus de BPC que le lait de vache, ce dernier contient dix fois plus de strontium 90, une substance radioactive contenue dans l'atmosphère, et que la composition chimique du lait maternel fait en sorte que le bébé nourri au sein a beaucoup plus de facilité à éliminer ces «polluants» que celui nourri artificiellement. À cet effet certains scientifiques prétendent que les vitamines E et A présentes dans le lait de femme aideraient à l'élimination des matières polluantes.

Pour que votre lait contienne le moins de polluants possible, essayez de cultiver votre propre jardin, d'éliminer la cigarette ou du moins de fumer le moins possible (le tabac étant une source importante d'insecticide), d'éviter les insecticides en plaque ou en vaporisateur dans votre propre maison ou sur votre peau; évitez également d'acheter les vêtements traités contre les mites, car cet insecticide est absorbé sur la peau, et abstenez-vous d'utiliser les désodorisants en aérosols. Si vos fruits et légumes ne sont pas cultivés organiquement, brossez-les.

Les analyses effectuées par le ministère canadien de la Santé et du Bien-Être Social sont positives : 98% des échantillons de lait maternel présentaient un taux de BPC inférieur à 50 microgrammes par kilogramme qui est le taux sécuritaire acceptable.

Le Dr Hélène Cantlie a également effectué des analyses chez ses patientes et s'est rendu compte que celles dont le régime alimenaire est de tendance végétarienne produisent un lait très faible en matières polluantes.

À cet effet elle soutient que les herbicides et les insecticides se retrouvent dans les céréales dont se nourrissent les animaux. Il faut 10 à 20 kilos de céréales pour faire un kilogramme de viande. Comme ces polluants ne sont solubles que dans la graisse, c'est le gras d'origine animale qui en contient le plus. De plus, les usines déversent leurs produits toxiques dans nos lacs et nos rivières où ils sont ingérés par les poissons qui y vivent. Enfin le chlore de nos usines d'épuration se combine aux matières organiques pour former des produits toxiques dans l'eau que nous buvons.

Le bébé né à terme a le même taux de polluants dans sa graisse que sa mère. Il s'agit donc avant et pendant la grossesse et l'allaitement d'éviter toute graisse animale (si vous mangez de la viande, elle doit être très maigre), tout gras provenant de produits laitiers (lait entier, crème, beurre, fromage à plus de 6% de matières grasses), et tout poisson d'eau douce ainsi que le thon et l'espadon, dont la teneur en mercure est très élevée.

Le lait écrémé et ses dérivés (yogourt, fromages maigres, etc.), les poissons de mer ainsi que les légumineuses (fèves, pois, pois chiches, lentilles, noix, etc.) fourniront les protéines nécessaires au développement du bébé.

Évitez les pertes de poids rapides : (les polluants de votre graisse atteindraient votre foetus ou votre lait). Buvez de l'eau fil-

trée au carbone activé (des filtres peu dispendieux peuvent être branchés sur un robinet).

Le lait des mères suivant ce régime a une teneur très basse en matières polluantes. Mais, même parmi les mères ne suivant aucun régime *aucun cas de maladie* due à la pollution du lait maternel n'a encore été rapporté.

Nous pouvons, par contre, citer plusieurs cas d'intoxication au plomb ou au sodium produisant des dommages irréparables au cerveau chez les enfants nourris à la formule, sans compter que ces derniers risquent un taux de maladie de 2 à 3 fois plus élevé dans leurs premières années, et de plus, peuvent acquérir des allergies dont ils souffriront toute leur vie.

Si vous désirez réduire votre consommation de viande et vous alimenter plus sainement consultez le livre de Louise Lambert-Lagacé publié aux Éditions de l'homme *Menu de santé* ou encore *Une Cuisine Sage* du même auteur.

Si une région est déclarée «à risques» à cause par exemple, d'un accident écologique comme ce fut le cas à St-Basile le Grand dans la province de Québec, on procédera à l'analyse du lait des nourrices. Le problème qui se pose est que l'analyse du lait maternel montre un taux de variation d'une journée à l'autre et même d'une tétée à l'autre ce qui peut fausser grandement les résultats de l'analyse.

Si votre lait présente un taux de polluants supérieur à ce qui est recommandé, insistez pour qu'on fasse des analyses sur plusieurs échantillons afin que les résultats soient plus significatifs.

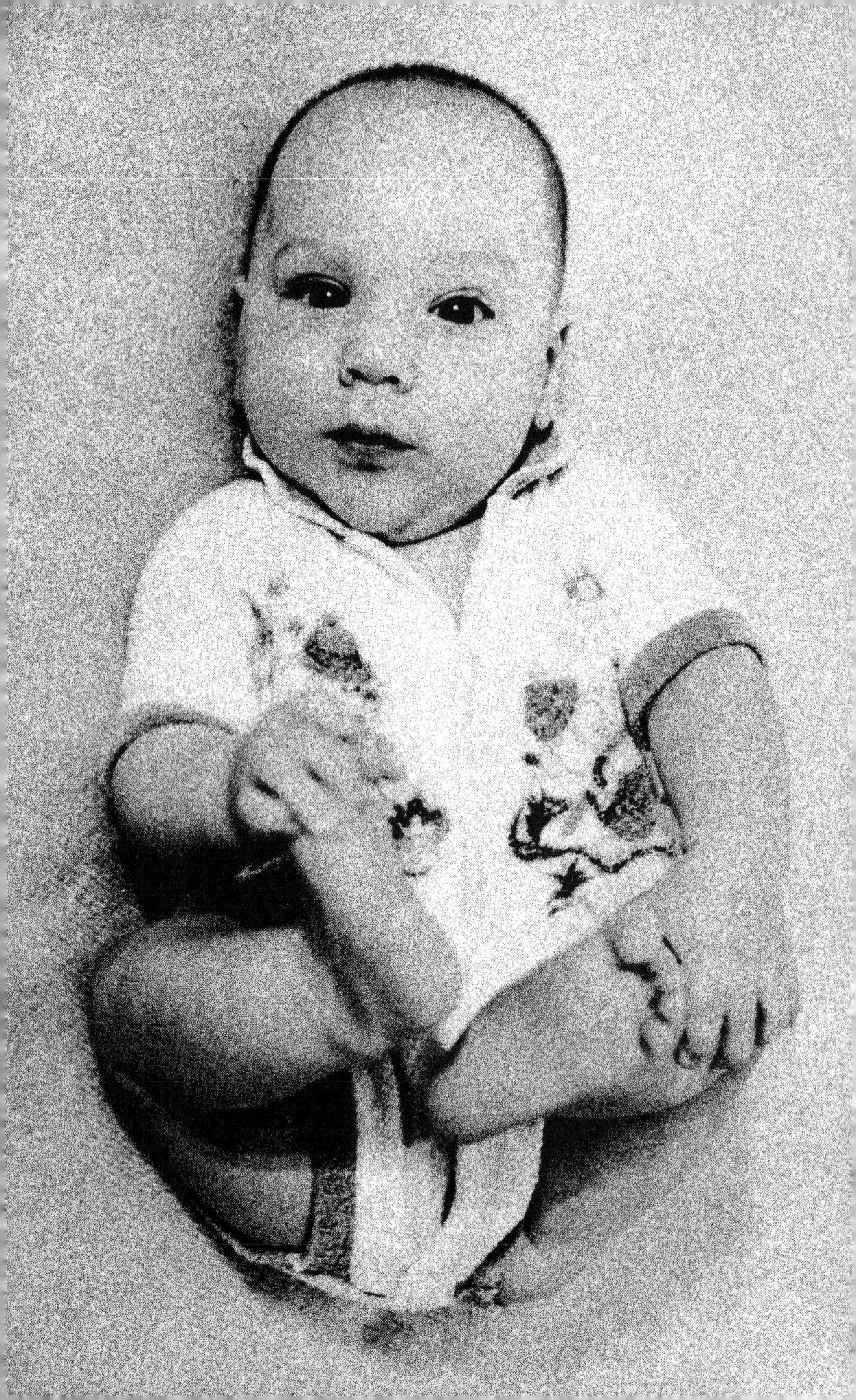

CHAPITRE 11

L'introduction des aliments solides

Le lait maternel est l'aliment idéal pour le bébé jusqu'à l'âge de six mois environ. Cela peut toutefois varier, allant de trois à huit mois, selon les bébés. Aucune étude ne prouve les avantages d'introduire les solides avant cette période, pour un bébé nourri au sein, alors que beaucoup d'autres en soulignent les inconvénients. On peut constater, par exemple, qu'un bébé qui mange trop tôt aura davantage tendance aux allergies et sera plus apte à devenir obèse. Trop souvent, a-t-on donné des solides à nos bébés par esprit de compétition, parce que la voisine ou la belle-soeur avait commencé à un mois, nous pensions qu'en commençant à deux semaines, notre petit serait plus beau que les autres. N'est-ce pas un reflet de notre siècle de vitesse et de surconsommation, où tout doit aller plus vite ?

Cette mode, qui a débuté à peu près au même moment que l'apparition sur le marché des «petits pots» et des céréales en boîtes, tend de plus en plus à disparaître heureusement. Les diététistes, les pédiatres et les spécialistes de la santé en général, s'aperçoivent de plus en plus des méfaits d'une alimentation solide trop précoce. Lors de la convention de l'Association Américaine des Pédiatres, en mars 1977, les pédiatres ont finalement pris position en faveur de l'allaitement maternel et contre l'introduction des aliments solides avant l'âge de six mois, pour les bébés nourris au sein.

On a également observé que l'alimentation précoce n'avait aucun effet sur le sommeil. Il est faux de croire qu'en gavant le bébé de céréales au repas du soir, il dormira toute la nuit. Souvenons-nous qu'en introduisant les solides trop tôt, nous substituons un aliment inférieur à un aliment supérieur. Le bébé peut recevoir le même nombre de calories, mais en prenant moins de lait maternel, il sera privé de certaines valeurs nutritives importantes pour lui comme le calcium. Une des raisons principales pour laquelle nous introduisons des solides, est que les réserves de fer avec lesquelles le bébé vient au monde, commencent à diminuer entre trois et huit mois, selon les bébés. Plus il naît avec une réserve de fer importante, moins on aura besoin d'ajouter des solides tôt à son alimentation.

Si votre bébé n'a qu'un mois ou deux et que votre médecin insiste pour que vous lui donniez des aliments solides, de peur qu'il ne devienne anémique, demandez-lui de faire un test pour savoir si le taux d'hémoglobine est normal.

Comment savoir si notre petit est prêt pour les solides ? Si, entre trois et huit mois (mais le plus souvent, vers l'âge de six mois) votre enfant augmente soudainement le nombre des tétées, et que malgré un allaitement intensif de quelques jours, il semble toujours insatisfait, c'est un signe. Attendez bien quelques jours, cependant, avant de commencer, car il peut être troublé pour une toute autre raison : un rhume, une tension quelconque peuvent le rendre maussade. L'apparition des dents (dont la fonction est de mastiquer) est un signe naturel d'un besoin d'aliments solides.

Il est très important de commencer les solides très lentement, sans brusquer le bébé, car les premières tentatives à la cuillère peuvent le dérouter. N'introduire toujours qu'un seul aliment à la fois, afin de l'habituer au goût et de diminuer les risques d'al-

lergie. Si votre bébé présentait des éruptions cutanées ou des fesses rouges, vous sauriez quel aliment en est responsable.

S'il pleure, les premières fois, ne le forcez surtout pas; l'heure du repas doit être un moment de joie et de détente.

Autre chose importante : faites la différence entre un besoin de nourriture et un besoin d'affection. Trop de mères gavent leurs bébés aussitôt que ceux-ci émettent un petit pleur. L'enfait fait ainsi un lien entre la nourriture et les besoins émotionnels. Combien d'obèses sautent sur un gâteau à la moindre contrariété ! Les bonnes habitudes alimentaires s'acquièrent dès la tendre enfance.

Les «petits pots» versus les aliments-maison

Lorsqu'on analyse la valeur alimentaire des «petits pots», on constate qu'elle se rapproche sensiblement de celle des aliments préparés à la maison.

Cependant, certaines de ces préparations commerciales contiennent des ingrédients dont le bébé a nul besoin et qui peuvent même lui nuire : les féculents qu'on y ajoute pour donner une meilleure consistance font engraisser inutilement le bébé. Le sucre n'apporte rien d'autre que des calories inutiles et peut tout simplement déformer le goût du bébé. Avant l'âge de quelques mois, son système rénal n'est pas tout à fait prêt à recevoir des quantités importantes de sel et les «petits pots» en contiennent inutilement. *«On ajoute du sel et du sucre pour satisfaire le goût des mamans et non celui des enfants»,* m'a fait remarquer un pédiatre. Heureusement la plupart des compagnies offrent maintenant toute une variété d'aliments préparés, ne contenant aucun additif, ni sel, ni sucre. Les «petits pots» peuvent, aussi être pratiques en voyage ou pour les journées où vous êtes particulièrement débordée; mais n'en faites pas la principale source alimentaire de votre bébé.

Tant que votre enfant ne sera pas prêt à manger en petits morceaux, il vous serait très utile de vous procurer un mélangeur électrique ou «blender». Ce que vous épargnerez en n'achetant pas de «petits pots» aura vite fait de payer votre mélangeur. L'avantage de préparer vous-même la nourriture de votre bébé est qu'il s'habitue, dès son plus jeune âge, à goûter les aliments tels qu'ils doivent être. Vous avez sûrement fait l'expérience vous-même : les haricots verts en conserve et ceux que vous préparez vous-même ont un goût tellement différent qu'on dirait que ce sont deux aliments distincts. D'ailleurs, certains bébés habitués aux purées-maison refusent carrément les «petits pots», car le goût n'est pas le même. En préparant vous-même ses aliments, vous pouvez lui offrir une variété d'aliments sains et frais, sans ajouter d'assaisonnements inutiles. Consultez, à cet effet, le livre de Louise Lambert-Lagacé *Comment nourrir son enfant de la naissance à six ans*, publié aux Éditions de l'homme.

Lorsque votre bébé possède quelques dents, abandonnez progressivement les purées, pour lui offrir la même nourriture que le reste de la famille. Avant de mettre l'assaisonnement, retirez une petite portion pour le bébé. Mettez des morceaux de fruits et légumes sur la table de sa chaise haute, des croûtons de pain, des cubes de fromage, etc.

Ne vous faites pas une montagne du fait que bébé refuse un aliment ou un autre. Si vous lui offrez des aliments sains et variés, il saura choisir lui-même ce dont il a besoin.

Voici l'ordre dans lequel plusieurs pédiatres suggèrent de commencer les aliments solides.

1. **La banane :** À cause de sa consistance veloutée et son bon goût, les bébés acceptent facilement ce fruit. Achetez-les très mûres et écrasez-les à la fourchette.
2. **La viande :** On introduit la viande comme un des premiers aliments à cause de sa riche teneur en fer. Toutefois, si votre bébé a moins de 6 mois, introduisez les céréales avant la viande, car celle-ci, trop forte en protéines, pourrait surcharger ses reins. Évitez le porc et choisissez plutôt la dinde, le poulet, l'agneau, le boeuf et les viscères tels le foie, le coeur et autres. Pour les familles dont la diète est plutôt végétarienne, insistez sur les aliments riches en fer et en protéines.
3. **Les légumes :** Insistez sur les légumes verts. Bien que les carottes et autres légumes jaunes soient de bons légumes, il ne faut pas abuser afin d'éviter une surcharge de vitamine A.
4. **Les céréales :** Autant que possible, évitez les farines commerciales pour bébés et donnez plutôt des céréales à grains entiers : riz, avoine, soya, etc.
5. **Les fruits :** Pomme, poire, pêche, melon, etc. Évitez la tomate et les fruits citrins pour débuter. Si votre bébé a 6 mois et plus, vous n'avez pas à suivre l'ordre à la lettre.

Commencez toujours par donner le sein avant les solides. L'«American Academy of Pediatrics» considère que le lait maternel doit être la principale source de calories pendant la première année de la vie.

Un bébé de famille allergique ne devrait recevoir rien d'autre que le lait de sa mère avant l'âge de six mois pour réduire les risques d'allergies. Si c'est le cas de votre bébé, évitez les produits laitiers, les oeufs, le blé et allaitez le plus longtemps possible.

CHAPITRE 12

Le sevrage

Il existe différentes façons de sevrer un enfant, dont deux principales : le sevrage provoqué et le sevrage naturel.

Le sevrage provoqué

C'est celui qui fait l'objet du passage du sein au biberon, alors que le bébé n'a que quelques mois, voire même quelques semaines. Plusieurs bébés sont sevrés entre un mois et trois mois, bien qu'ils ne soient pas vraiment prêts physiquement et psychologiquement à abandonner le sein maternel. Différents facteurs entrent en ligne de compte, lorsqu'une femme décide de sevrer prématurément son bébé : le manque d'information et d'encouragement, les pressions sociales (mari, médecin, famille), le retour au travail, etc. Il est vrai que l'adaptation à un nouveau bébé surtout le premier, est quelquefois difficile, particulièrement durant les deux premiers mois. Trop de femmes, mal informées, pensent que c'est l'allaitement comme tel qui rend les choses difficiles. Il est certain que l'apprentissage de l'allaitement peut comporter quelques difficultés, mais il ne faudrait pas per-

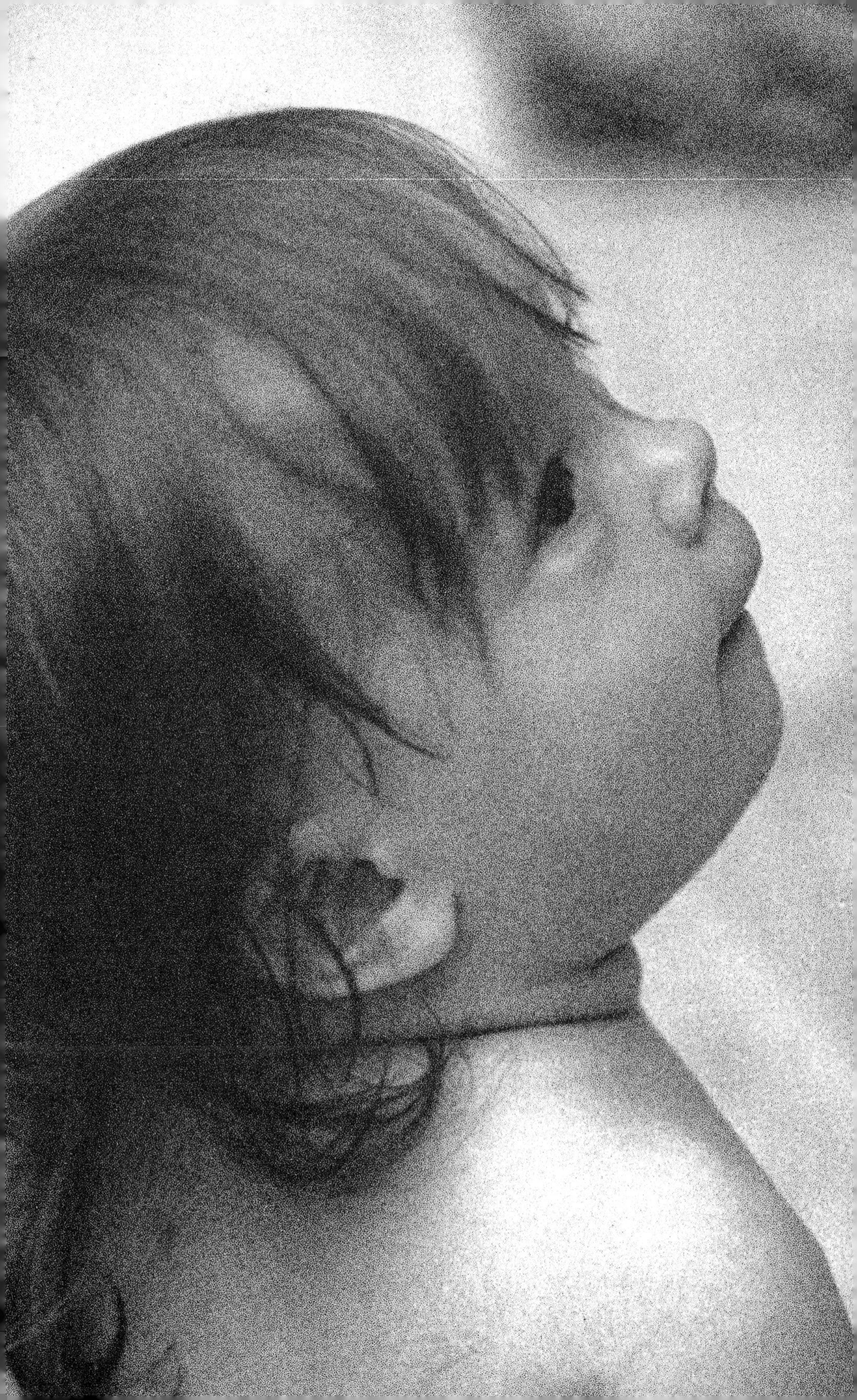

dre de vue que tout ce qui entoure la maternité comporte ses problèmes, comme ses joies. On croit souvent, et à tort, qu'en substituant le biberon au sein, tous nos problèmes vont se régler comme par enchantement.

Je suis toujours un peu triste lorsqu'une femme me dit qu'elle va sevrer son bébé alors que celui-ci n'a que deux ou trois mois, car c'est l'âge où généralement les problèmes s'estompent; le bébé et la mère sont adaptés l'un à l'autre et ne font que commencer à être des experts dans l'art de l'allaitement. Toutes les femmes qui ont nourri pendant un certain temps vous diront qu'elles connaissent vraiment les plus grandes joies de l'allaitement quand le bébé est plus éveillé, qu'il commence à sourire et à réagir au monde extérieur, en particulier à sa mère. Alors que les pleurs d'un nouveau-né sont souvent désarmants, vous pouvez les interpréter plus facilement à cet âge-là et, par conséquent, vous êtes moins désemparée pour répondre à ses besoins. Les premières semaines, on se sent soulagée lorsque le bébé tombe endormi; vers l'âge de deux, trois mois, on apprécie sa compagnie et on a même hâte, parfois, qu'il se réveille, lorsqu'il dort longtemps. La mère et son bébé commencent à former un «couple», dont les liens deviennent de plus en plus solides et profonds.

Si, pour une raison ou pour une autre, vous sentez le besoin de sevrer votre bébé, faites-le le plus progressivement possible. Certains bébés acceptent le biberon facilement, d'autres s'objectent vigoureusement à cette nouvelle tétine. Soyez patiente et ne le forcez pas; redoublez d'attention et surtout, ne laissez jamais votre petit seul dans son lit avec son biberon. Il a besoin de la chaleur de vos bras autant que s'il était nourri au sein. Ne vous désolez pas parce que vous sevrez votre bébé; vous lui avez tout de même donné le meilleur départ possible dans la vie et votre relation avec votre enfant est mieux amorcée que si vous aviez donné le biberon en partant. Le seul fait qu'il ait bénéficié du colostrum est déjà beaucoup.

Le sevrage naturel

La première étape de cette forme de sevrage commence au moment où on introduit les aliments solides, c'est-à-dire vers l'âge de six mois pour un bébé né à terme et en bonne santé. C'est un sevrage qui, en réalité, n'en est pas un, puisque l'enfant délaissera de lui-même, et d'une façon très progressive, une tétée après l'autre, tout en étant guidé par sa mère.

Cela peut s'échelonner sur une période de plusieurs mois voire même plusieurs années. Lorsque le bébé consomme toute une variété d'aliments et qu'il boit d'autres liquides, à la tasse, le lait maternel devient, à ce moment-là, un complément à son alimentation. Il est, toutefois faux de croire que lorsqu'il vieillit il n'a plus besoin du lait de sa mère. Même s'il n'est pas aussi vital que pour le nourrisson de deux mois, il n'en reste pas moins une nourriture importante pour son développement physique et psychologique.

Au moment où l'enfant commence à ramper et à marcher, il abandonne généralement une ou plusieurs tétées, car il est très occupé à découvrir le monde. Pourtant, les tétées qui restent sont très importantes pour lui car, désormais, le sein n'est plus uniquement associé à la faim; il aime téter et il est rassuré de savoir que même s'il prend un peu d'indépendance, il peut, en tout temps, retrouver la sécurité du sein maternel.

L'anthropologue Ashley Montagu soutient que l'enfant, en plus de ses neuf mois de vie intra-utérine, a besoin d'un autre neuf mois pour être complètement «achevé». Peut-être est-ce pour cette raison que plusieurs enfants vont spontanément abandonner le sein, ou du moins le nombre de tétées, vers cet âge-là.

Le sevrage naturel apparaît entre neuf mois et trois ans (quelquefois même plus tard). Dans la plupart des pays où l'allaitement est chose courante, il est fréquent de rencontrer des enfants de deux, trois ans qui prennent une «p'tite tétée» de temps en temps. Plusieurs personnes soutiennent que ces enfants demeurent au sein longtemps à cause du manque de protéines. C'est un fait. Mais pourtant, les enfants, eux, ne tètent pas pour combler

un besoin de protéines, mais bien par réconfort et par plaisir. Certaines personnes s'inquiètent du fait qu'un bébé qui reste au sein longtemps demeure, par conséquent, «sous les jupes de sa mère». C'est tout à fait le contraire. Plus on satisfait son besoin de dépendance quand il est jeune, plus il sera indépendant et autonome par la suite.

Nourrir le bébé plus âgé

Dans les pays américanisés, c'est une minorité d'enfants qui est allaitée pendant un minimum de neuf mois. C'est pour cette raison qu'on peut, parfois, être surpris, voire même choqué à la vue d'un enfant de deux ou trois ans au sein de sa mère. À cet âge-là, on ne peut toutefois pas dire qu'il soit nourri au sein. Il prend une tétée occasionnellement et souvent la mère ne produit plus beaucoup de lait. Généralement, ils vont conserver les tétées reliées au sommeil, car le sein maternel semble les calmer avant de s'endormir. Combien d'enfants de deux, trois ans et même plus, avons-nous connus qui avaient besoin de leur suce, leur pouce ou leur biberon pour s'endormir ? Combien d'autres ont besoin de mâchonner une couverture moelleuse ou un traditionnel ourson de peluche pour se calmer ? Qui sait si ce ne sont pas des substituts maternels ? Autant pour nous, Occidentaux, le sein est un symbole sexuel, autant pour les gens vivant en pays dits sous-développés, le sein est relié au réconfort. Plusieurs explorateurs ont rapporté que les enfants de cinq ou six ans, à la vue d'hommes blancs étrangers, couraient vers le sein maternel pour se rassurer. Un anthropologue a même décrit une scène où une femme mariée se consolait, au sein de sa mère, de l'infidélité de son mari.

Si vous nourrissez un bébé plus âgé, vous pouvez vous attendre à recevoir des critiques et des remarques désobligeantes. La plus fréquente étant sûrement *«qu'il est trop dépendant, qu'il restera accroché à vos jupes pendant longtemps»*. Pourtant, plusieurs psychologues affirment que plus son besoin de dépendance est satisfait pendant les premières années de sa vie plus il sera indépendant en vieillissant. On ne peut pas forcer un enfant à être indépendant. D'ailleurs en le forçant on peut provoquer l'effet contraire; alors qu'en le laissant être bébé aussi longtemps qu'il veut on a

pas besoin de s'inquiéter, il vieillira en temps et lieu et deviendra un enfant beaucoup plus mature si on lui a permis d'être un bébé quand c'était le temps. Mais dans notre société rapide de consommation on s'attend à ce que les enfants deviennent des petits adultes en miniature très rapidement. Pour certaines personnes plus un enfant marche tôt, mange tôt, est sevré tôt, etc... plus c'est un signe qu'il se développe bien. Le Dr Thomas Harris résume bien cette pensée dans son «best-seller» *I'm OK, You're OK : «Si tu laisses un bébé être un bébé pendant qu'il est bébé, il ne restera pas bébé toute sa vie».*

Si votre enfant tète uniquement pour s'endormir, vous n'êtes pas obligée de le dire. Une amie allaita son enfant jusqu'à l'âge de quatre ans, sans que jamais personne ne le sache. Pendant deux ans, la seule tétée qu'il conserva était celle du petit matin, c'est-à-dire vers 5-6 heures. Cela ne dérangeait personne et l'enfant tenait beaucoup à ces quinze minutes d'intimité avec sa mère.

Vous rencontrerez des personnes à qui vous pouvez expliquer votre expérience, d'autres avec qui le dialogue est très difficile. Avec ces dernières, il vaut mieux éviter les discus-sions. Mais soyez toujours sûre de vous, dans vos gestes comme dans vos paroles; si vous hésitez le moindrement, on sautera sur l'occasion pour vous faire douter de vous-même.

Les avantages

- La plus grande récompense que peut retirer une mère d'un allaitement à long terme, est certainement la relation qui existe avec son enfant. C'est un lien très fort qui persiste une fois le bébé sevré.

- Lorsqu'un bébé plus âgé est malade, il cesse très souvent de manger pour un certain temps. Il est rassurant de pouvoir le consoler au sein et de lui offrir le lait maternel.

- Ce que le psychologue Fitzhugh Dodson a surnommé «la première adolescence», c'est-à-dire entre deux et trois ans, est souvent une période difficile pour la mère et l'enfant. Ce dernier est balloté entre son désir d'indépendance et son désir de rester bébé. Pour cette raison, il y a des jours où le sein ne l'intéresse pas et d'autres où la mère a l'impression qu'il régresse, en réclamant le sein constamment. Plusieurs femmes ayant traversé cette période avec un enfant élevé au biberon et un autre au sein, témoignent avoir eu plus de facilité avec le bébé nourri au sein.

- Lorsqu'il fait des dents, l'enfant aime se soulager au sein de sa mère. S'il cherche à mordre, un simple «non» ferme suffit d'habitude à l'arrêter.

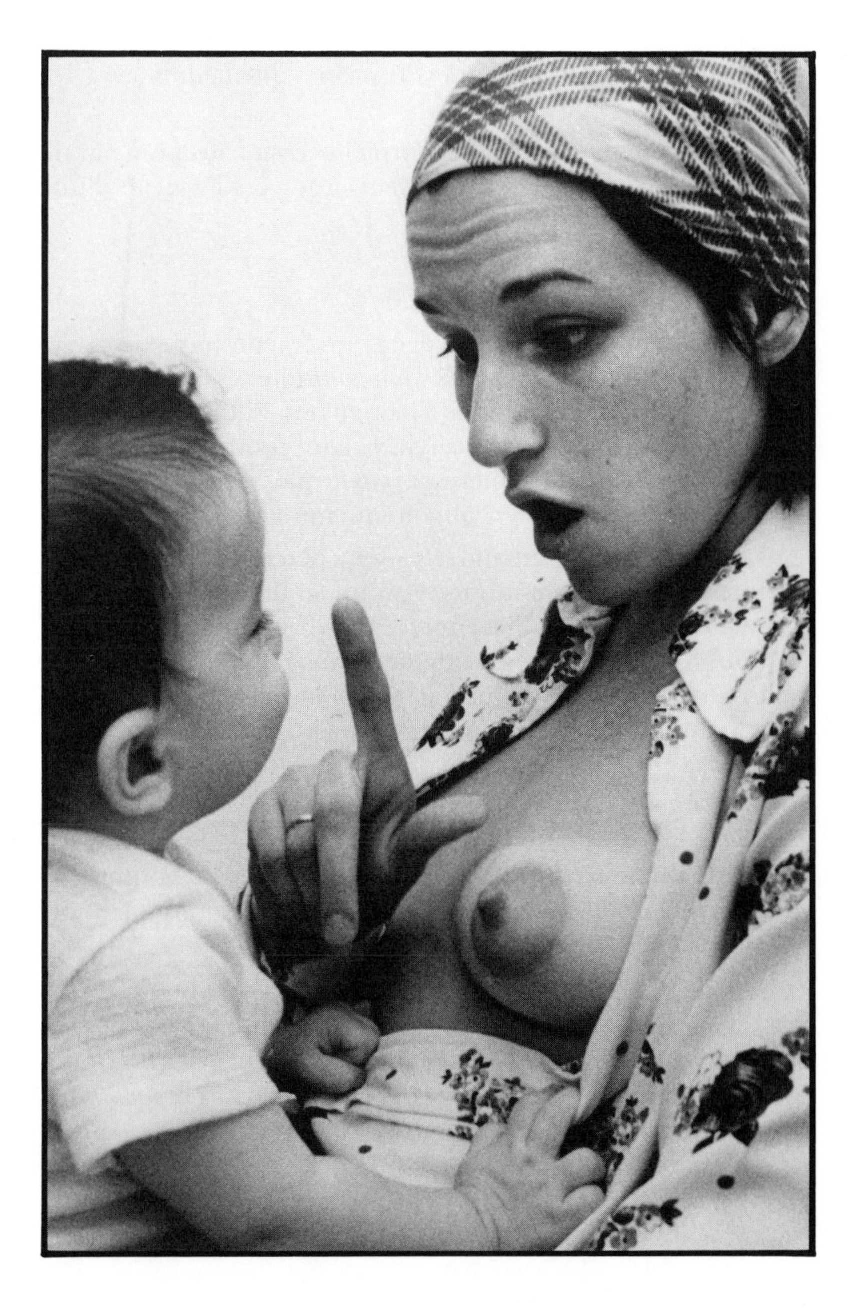

- Une mère qui allaite pendant un certain temps n'aime pas être séparée de son bébé pendant de longues périodes. Celui-ci a donc l'avantage de suivre sa mère, lors de ses sorties, ce qui est beaucoup plus stimulant que de passer des heures avec les gardiennes.

- Nourrir un bébé plus âgé fournit l'occasion de moments de détente, pour la mère et son enfant, à travers l'activité d'une journée mouvementée.

Quand le sevrage devient difficile

Quelquefois, un bébé plus âgé peut devenir très exigeant et réclamer le sein très souvent. Certaines femmes se sentent coupables de refuser quelques tétées à leur enfant. Elles donnent alors le sein avec impatience et le cercle vicieux commence. L'enfant ressent l'impatience de la mère, se sent de plus en plus insécure et réclame le sein de plus en plus fréquemment.

Un enfant peut demander le sein parce qu'il n'a rien de mieux à faire, de la même façon qu'un adulte cherche quelque chose à manger lorsqu'il s'ennuie. Offrez-lui de nouvelles distractions : un enfant de plus de deux ans peut avoir besoin de petits compagnons. Quelques heures à la garderie, de temps à autre, peuvent stimuler son imagination et lui apprendre de nouveaux jeux.

Bien que la plupart des enfants abandonnent le sein progressivement, sans faire d'histoires, d'autres semblent s'accrocher indéfiniment et augmentent, quelquefois le nombre de tétées au lieu de diminuer. Voici quelques suggestions qui pourront vous aider avec ce genre d'enfant :

- Tout d'abord, faites le tour de votre situation familiale. Avez-vous des problèmes émotionnels ? Êtes-vous en plein déménagement ? Une situation inhabituelle peut perturber votre enfant et lui faire réclamer le sein plus souvent. Lorsque vous vous sentez à nouveau détendue, tout rentre dans l'ordre, généralement.

- Faites-le jouer dehors le plus possible. Un bac à sable peut l'amuser des heures et le distraire du sein maternel.

- Attention ! Le sein n'est pas une panacée. Certaines femmes provoquent elles-mêmes un sevrage difficile, en donnant le sein au moindre pleur. Un bambin qui est maussade peut avoir d'autres besoins. Lui raconter une histoire ou vous asseoir par terre avec lui pendant un quart d'heure peut suffire à remplacer la tétée.

Il peut arriver que vous donniez le sein distraitement, en lisant par exemple, ou en regardant la télévision. Avec le genre d'enfant «pendu au sein» il est préférable d'être totalement présente lors de la tétée. De cette façon les chances sont, qu'il réclamera le sein moins souvent.

Si votre bambin se met à pleurer pendant que vous parlez à une amie, il est tentant de le «brancher» au sein afin d'avoir la paix. Mais peut-être a-t-il besoin d'autre chose ? Est-il contrarié par un jouet, frustré par quelque chose ? Il faut essayer de distinguer un besoin de téter des autres besoins, que l'allaitement ne devienne pas une sorte de camouflage mais bien une fa:on de manifester notre amour.

Lorsque vous décidez de mettre un terme à une relation devenue difficile faites-le toujours sans brusquerie, redoublez d'attention et d'affection envers votre petit. Il ne comprendra peut-être pas pourquoi vous lui refusez le sein et ne doit pas se sentir rejeté, en aucun cas. Vous pouvez remplacer ce contact physique perdu en prenant un bain avec lui, en le massant, le berçant, etc.

Le sevrage de la mère

Cela semble peut-être exagéré, au premier abord, de parler du «sevrage» de la mère. Pourtant, il n'est pas facile pour bon nombre de femmes, de mettre un terme à une relation aussi intense.

Voici quelques témoignages à ce sujet :

«Lorsque ma fille Claire décida, presque spontanément à l'âge de neuf mois, qu'elle ne voulait plus du sein, je me suis sentie déchirée, rejetée par elle. J'aimais tellement allaiter, j'aurais donné n'importe quoi pour que cela con-

tinue. Naturellement, je ne pouvais pas la forcer. Elle était prête pour le sevrage, alors que mois je ne l'étais pas.»

«Vers l'âge d'un an, mon mari décida que notre fils Jean-François était désormais trop vieux pour téter. Rien ne pouvait le faire changer d'idée. J'eus comme première réaction de vouloir partir loin, avec mon fils, afin que rien, ni personne, ne nous sépare. Je me suis finalement raisonnée en me disant que notre enfant avait davantage besoin de parents unis, que d'un allaitement poursuivi dans des conditions difficiles...»

Certaines femmes ont des sentiments très mêlés à l'époque du sevrage. Elles sont fatiguées de l'allaitement et aimeraient que tout se termine au plus vite; d'autre part, elles n'ont pas le courage de sevrer complètement, se sentant encore très attachées à cette relation. Cette ambivalence entraîne, quelquefois, une certaine impatience de la part de la mère; quand on en connaît la cause, on peut davantage la contrôler.

Si c'est le bébé qui fait les premiers pas, la mère a quelquefois l'impression d'être rejetée par son enfant. Réjouissez-vous plutôt, et pensez que c'est une première étape vers une certaine autonomie.

Si votre bébé aime téter et que vous aimez le nourrir, il n'y a aucune raison de mettre fin à l'allaitement. La fin commence lorsque l'un des deux «partenaires» en manifeste le désir. Vous devez respecter les besoins de votre enfant et celui-ci doit apprendre à en faire autant.

Après le sevrage

Une fois le bébé complètement sevré, votre système hormonal sera appelé à changer pour redevenir comme avant la grossesse. Ce changement ne va pas sans réaction émotionnelle; il est possible que vous vous sentiez un peu plus dépressive, un peu plus vulnérable qu'à l'habitude. C'est une réaction tout à fait normale qui ne tardera pas à s'estomper.

Vos seins, également, vont retrouver leur forme et leur taille d'avant la grossesse. Comme nous le mentionnions précédemment, s'ils ont perdu de leur fermeté et de leur volume, cela est dû, en grande partie, à la grossesse et non à l'allaitement. Vous aurez peut-être l'impression qu'ils sont beaucoup plus petits qu'avant la grossesse; vous avez eu l'habitude de les voir ronds, fermes et assez volumineux pendant l'allaitement, c'est ce qui donne l'impression qu'ils ont diminué de volume. Ou peut-être avez-vous perdu du poids pendant l'allaitement et vos seins en ont subi les conséquences. Cela peut prendre de quelques semaines à quelques mois avant que votre lait soit complètement disparu.

Une fois le bébé tout à fait sevré, si vous regardez en arrière, vous vous souviendrez des nombreux moments tendres et agréables que l'allaitement vous a apportés et vous aurez probablement oublié les moments difficiles. Je n'ai jamais rencontré une seule femme ayant regretté d'avoir allaité son enfant, ne serait-ce que quelques semaines. Toutes affirment que cette expérience leur a fait apprécier davantage la maternité.

CHAPITRE 13

La sexualité et l'allaitement

La sexualité féminine

Contrairement à la sexualité de l'homme qui repose principalement sur le coït, celle de la femme est beaucoup plus étendue et englobe cinq fonctions biologiques importantes : le cycle menstruel, le coït, la grossesse, l'accouchement et l'allaitement. Ces cinq phases de la sexualité féminine sont dirigées par un système hormonal similaire et sont en corrélation les unes avec les autres. La sexualité est très souvent uniquemenr reliée au coït, alors que les autres éléments, faisant partie de la vie sexuelle de la femme, sont volontairement ou involontairement ignorés.

L'allaitement est une phase importante de sa sexualité. Comme pendant l'accouchement et le coït, il se produit des phénomènes similaires : l'hormone oxytocine est relâchée pendant l'orgasme et pendant l'allaitement; c'est cette même hormone qui fait contracter l'utérus pendant l'accouchement. Les seins augmentent de volume, le mamelon s'allonge et se durcit comme pendant la stimulation sexuelle, et la température du corps s'élève.

Il serait grand temps que les femmes se réconcilient avec leur corps et considèrent la maternité et l'allaitement comme faisant partie intégrante de leur sexualité. Trop souvent, ces fonctions biologiques sont considérées comme des désavantages par rapport aux hommes, alors qu'elles sont, en réalité, des privilèges.

L'aspect sensuel de l'allaitement

Avant l'apparition du biberon, la survivance de la race humaine reposait sur deux actes sexuels bien définis : le coït et l'allaitement. Si ces fonctions n'avaient pas été agréables, l'être humain aurait rejoint le rang des espèces disparues, depuis bon nombre de siècles. Malheureusement, dans notre société, on semble faire tous les efforts possibles pour réduire au minimum le plaisir sensuel d'allaiter. La mère et l'enfant sont habillés et même le sein n'est pas complètement découvert; les soutiens-gorge d'allaitement sont munis d'une partie détachable, ne laissant découverte que la partie nécessaire. En plus, le temps de succion est limité, le sein étant considéré uniquement comme un moyen de nourrir le bébé alors qu'il peut être une source de plaisir pour la mère et l'enfant.

Le sein est une zone érogène très importante, et il semble que plus une femme est sensible aux caresses orales et tactiles de son mari, plus elle réagira à la stimulation buccale rythmique de son bébé. Selon des expériences faites par Masters et Johnson, un certain nombre de nourrices expérimentent une forme d'excitation sexuelle pendant la tétée; certaines avouent même atteindre l'orgasme, pendant que le bébé est au sein. Une femme me confiait qu'elle avait sevré son bébé prématurément, parce qu'elle atteignait l'orgasme à chaque tété et ne possédait aucun contrôle sur ce phénomène. De tels cas d'excitation sexuelle sont, toutefois, assez rares, et la plupart des femmes disent se sentir, non pas excitées comme pendant le coït, mais plutôt satisfaites et repues, comme après l'orgasme. Parfois, ces sensations disparaissent car il arrive que les mamelons deviennent insensibles après quelques semaines d'allaitement.

Il n'existe évidemment pas de règle en ce qui a trait à la nature sensuelle de l'allaitement. Chaque femme est différente et l'important est d'écouter son propre corps, Que l'allaitement nous apporte une certaine satisfaction sexuelle ou non, ce qui prime avant tout est de se sentir bien lorsqu'on nourrit. Il est important que les femmes qui ont des sensations agréables ne se sentent pas coupables, et celles qui ne ressentent rien de sensuel ne se sentent pas anormales pour autant.

Notre attitude face à la sexualité et à l'allaitement est souvent similaire. Une femme heureuse et dégagée sexuellement sera davantage portée vers l'allaitement au sein. Les sexologues Masters et Johnson affirment que les femmes qui allaitent sont davantage intéressées à reprendre les relations sexuelles, après l'accouchement. D'autres enquêtes ont révélé que les femmes qui choisissent le biberon souffrent davantage de problèmes psycho-sexuels que les autres. Par ailleurs, il ne faudrait pas penser que toutes les femmes qui ont des problèmes sexuels ne peuvent pas allaiter, et que toutes celles qui ont une vie amoureuse équilibrée nourrissent toujours avec succès. Mais ces observations sont significatives, quant à notre attitude face à la sexualité, en rapport avec l'allaitement.

Les relations maritales pendant l'allaitement

Pendant la période de l'allaitement, l'appétit sexuel de certaines femmes augmente sensiblement. Elles sont probablement plus sensuelles que d'autres et la dose d'oxytocine relâchée pendant la tétée, est peut-être plus importante.

D'autres, par contre, sont moins intéressées, du moins pendant les premiers mois. Elles jouissent d'une relation très intime avec leur bébé et d'un contact physique qui remplace celui de la relation sexuelle. C'est très souvent à ce moment-là que surviennent les problèmes dans un couple, surtout lors d'un premier bébé. D'une certaine manière, la femme étant sexuellement satisfaite par l'allaitement, elle oublie les besoins de son mari et ce dernier se sent frustré. Mais si la communication entre les époux est bonne, ce genre de problème ne devrait pas se produire.

Bien que plusieurs autres facteurs peuvent influencer l'appétit sexuel d'une jeune mère (fatigue, adaptation à son nouveau rôle, etc.), il ne faudrait surtout pas penser que les seins sont

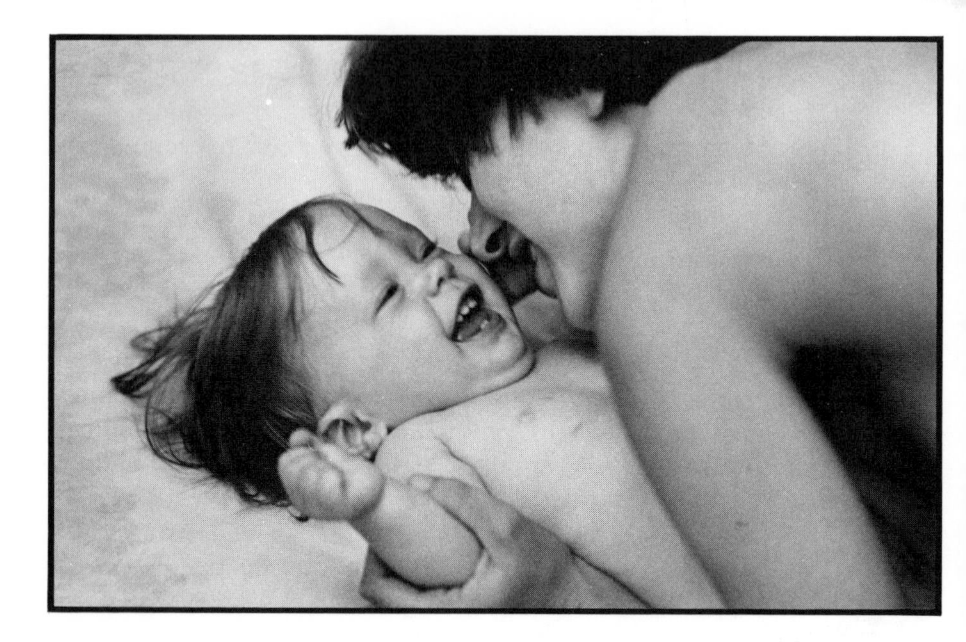

réservés au bébé, pendant la période de l'allaitement. Ce n'est pas parce que les seins assument maintenant leur fonction biologique, que leur rôle érotique doit être mis au rancart.

Si votre mari et vous aimiez stimuler vos seins oralement et manuellement avant l'arrivée du bébé, il n'y a aucune raison pour que cela soit changé. Vous pouvez très bien partager vos seins avec votre bébé et votre mari, sans problèmes. Certaines personnes craignent parfois de contaminer les mamelons pendant l'acte sexuel; il n'y a aucun danger. Le lait par lui-même est antibactérien et, de plus, la stimulation orale et manuelle peut prévenir les mamelons douloureux. Par contre, si une femme souffre d'une infection vaginale, elle doit faire attention de ne pas la propager au niveau des mamelons, car ceux-ci risqueraient d'être très douloureux.

Il peut arriver pendant l'acte sexuel, que le réflexe de sécrétion se mette en marche et qu'un peu de lait jaillisse des seins; certaines femmes préfèrent garder leur soutien-gorge, d'autres disent que cela ajoute à leur plaisir. Certains hommes entretiennent ainsi la sécrétion lactée de leur femme, quand le bébé est

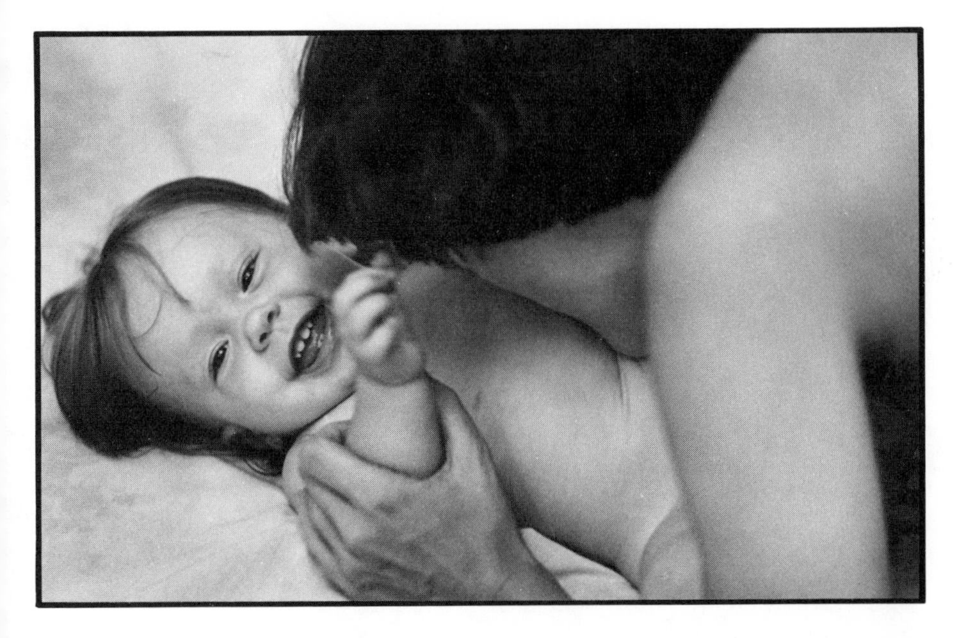

hospitalisé par exemple. Madeleine A., qui attendait un bébé adopté et qui désirait l'allaiter, a fait téter son mari pendant plusieurs mois, afin de stimuler ses seins. Au bout de quelques mois, le colostrum est apparu, en grande partie grâce à son mari. Elle ajoute ceci : *«C'était un moment de grande tendresse pour nous deux, et il nous est arrivé souvent de nous endormir pendant que Julien tétait, tellement c'était relaxant».*

Il peut arriver que vos seins soient très pleins au moment de faire l'amour et, par conséquent, très sensibles, surtout les premières semaines. Certaines positions seront peut-être alors inconfortables, voilà donc l'occasion idéale d'en expérimenter de nouvelles, de changer vos habitudes pour faire place à du nouveau.

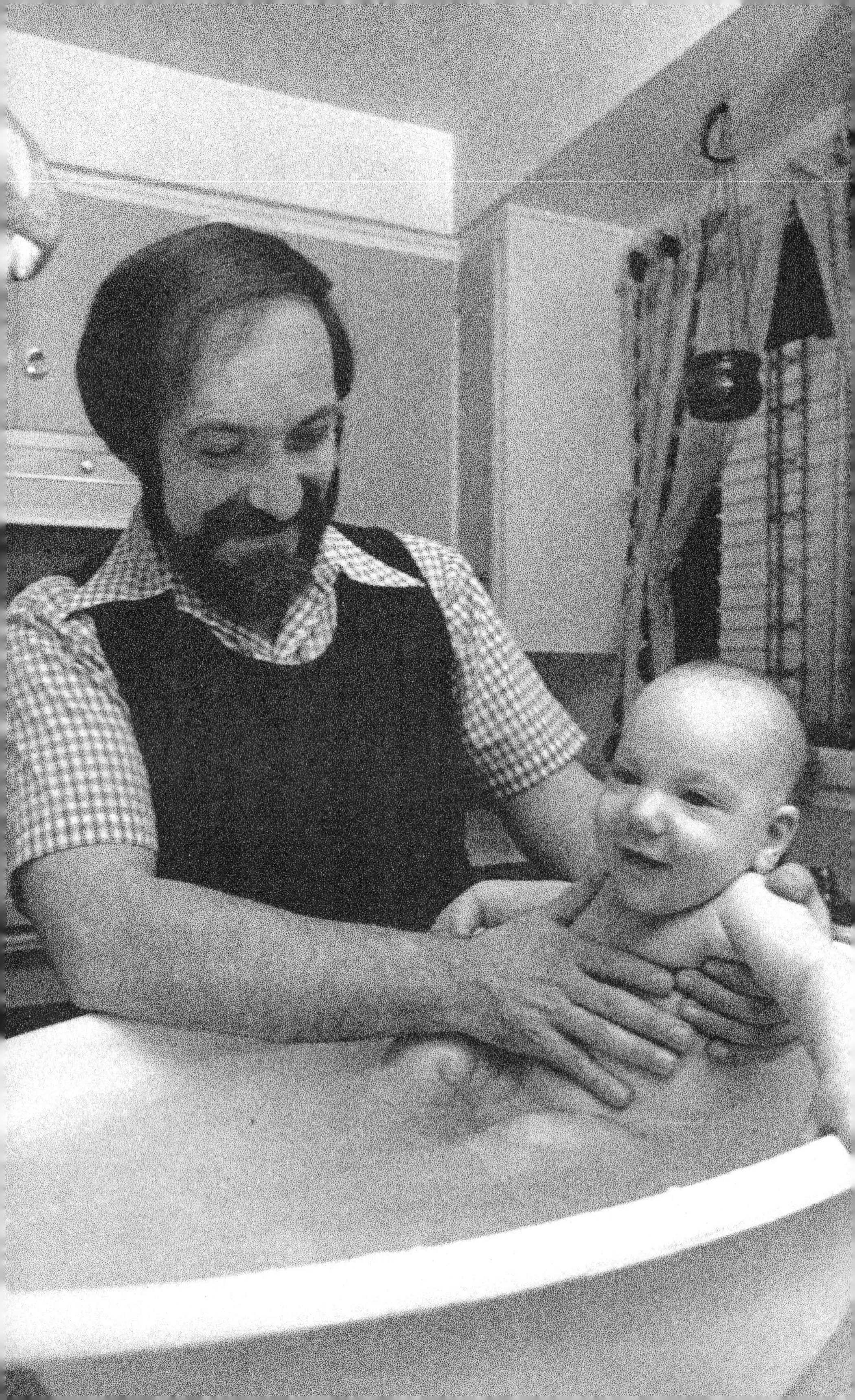

CHAPITRE 14

La participation de l'homme

Si un grand nombre d'hommes encouragent leur femme à allaiter, plusieurs cependant, par leur attitude négative, sont à l'origine de l'insuccès de leur femme.

Une des principales raisons de cette attitude négative, bien qu'elle soit souvent inavouée, est que les hommes craignent de voir les seins de leur femme se déformer ou encore qu'ils refusent de les partager avec le bébé. Pourtant, contrairement à la croyance populaire, une femme qui allaite a beaucoup plus de chances de conserver une belle poitrine pendant et après l'allaitement. Celles qui prennent des médicaments pour arrêter la montée laiteuse voient leurs seins s'affaisser beaucoup plus rapidement, étant donné le changement radical du volume du sein. D'autre part, même si le bébé est allaité, cela ne veut pas dire que les seins lui soient réservés. Si un homme aime caresser les seins de sa femme, il n'y a aucune raison que cela soit changé à cause de l'allaitement. Voici d'ailleurs ce qu'un père nous a confié à ce sujet : *«Notre bébé étant prématuré, il dut rester quelque temps à l'hôpital et ma femme retirait du lait pour en conserver la sécrétion. Il m'arrivait à l'occa-*

sion, lorsqu'elle était fatiguée, de téter le lait et je dois avouer que ma femme et moi en retirions un certain plaisir.»

Il arrive également que les hommes considèrent l'allaitement comme la principale cause de la fatigue que ressent leur femme après l'accouchement, et pour cette raison ils y sont opposés. Il est certain que l'allaitement demande beaucoup d'énergie. Cependant plusieurs autres facteurs contribuent à la fatigue de la nouvelle maman : l'adaptation à son nouveau rôle, la récupération de la grossesse et de l'accouchement, le sommeil interrompu, etc.

Malheureusement, trop d'hommes voudraient retrouver leur femme aussi pimpante et disponible qu'avant la naissance du bébé. Ils doivent pourtant se rendre à l'évidence. Une femme ne peut pas à la fois tenir sa maison d'une manière impeccable, préparer des repas de gourmets, avoir une mise en plis sans reproches et nourrir le bébé. Même si cela peut être parfois difficile à accepter, les besoins du bébé doivent passer avant tout, du moins pour un certain temps.

Sans l'aide de son mari, une femme ne peut pas allaiter. Si elle persiste malgré sa désapprobation ou son manque d'enthousiasme, elle a peu de chance de réussir car la tension qui régnerait alors dans la maison aurait probablement une influence néfaste sur la sécrétion lactée.

Voici concrètement quelques indications pour un homme qui veut aider sa femme à réussir son expérience d'allaitement.

- Si l'allaitement apporte beaucoup de joies, il peut aussi entraîner des difficultés. Il y a des jours, par exemple, où la femme peut avoir des doutes sur sa capacité de nourrice. La confiance et les encouragements de son mari sont les plus sûrs moyens de dissiper ces doutes.

- Une femme qui allaite surmontera plus facilement les critiques et les commentaires désobligeants si elle peut compter sur l'appui de son mari.

- S'il y a d'autres enfants à la maison, le père pourra prendre la relève pour quelque temps afin de permettre à sa femme de se

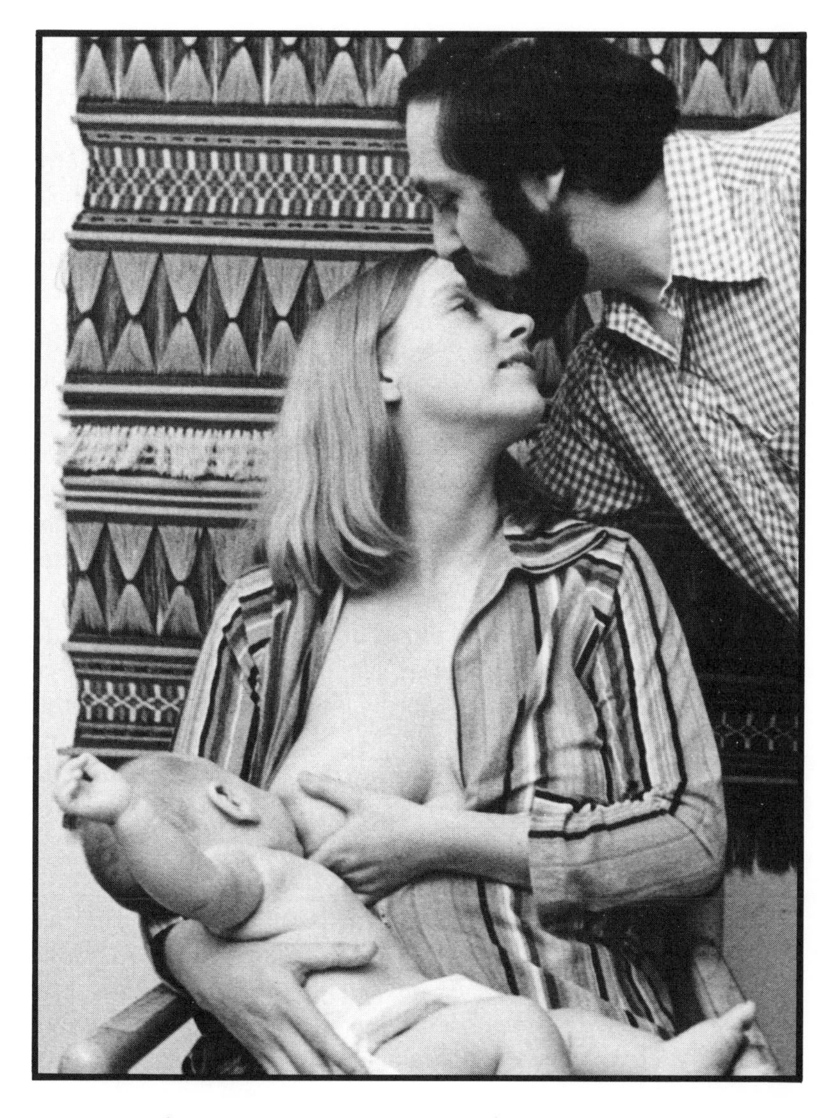

consacrer davantage au nouveau-né. En les emmenant en promenade et en les gâtant un peu, il fera en sorte qu'ils ne se sentent pas délaissés. Cela permettra du même coup à la mère et au bébé d'être seuls pour quelques heures.

- Une nouvelle accouchée est souvent fatiguée, par conséquent impatiente. Souvent, ses paroles vont dépasser sa pensée.

Il est important d'éviter les querelles durant les premières semaines car un état d'esprit serein est essentiel à un réflexe de sécrétion bien conditionné.

- Souvent les hommes, tout en jouissant du fait de ne pas être obligés de donner de biberons (notamment pendant la nuit) se sentent inutiles quand leur femme allaite. Il y a pourtant beaucoup d'autres choses qu'un père peut faire pour son bébé : changer ses couches, l'habiller, le bercer, etc.

Bien que nous prenions pour acquis que le bébé a besoin de la présence de sa mère, celle-ci peut ressentir le besoin d'avoir quelques heures bien à elle, de temps en temps; à ce moment-là le père pourra prendre soin de l'enfant.

- Si, pour une raison ou pour une autre, le bébé a eu une mauvaise journée et qu'il a dû passer plus de temps au sein qu'à l'habitude, un repas du restaurant apporté à la maison sera grandement apprécié par la mère.

Le succès ou l'échec de l'allaitement dépendent en grande partie de l'attitude du mari envers sa femme et son bébé. Que ce soit directement ou de façon subtile, un homme n'a pas le droit d'empêcher sa femme d'allaiter. Et s'il y a des femmes assez fortes et convaincues pour passer outre à la désapprobation de leur homme, la plupart sont très sensibles et très influençables après un accouchement et le soutien de leur mari leur est indispensable.

Si les hommes savaient à quel point ils ont un rôle important à jouer dans l'allaitement, ils seraient sûrement plus coopératifs. Heureusement, un nombre de plus en plus croissant d'entre eux apportent une aide précieuse à leur femme et contribuent au bonheur de leur bébé en rendant l'allaitement plus facile.

CHAPITRE 15

Pour faire un succès de l'allaitement

Plusieurs femmes font l'expérience de l'allaitement maternel et, pourtant, un grand nombre abandonnent, déçues et frustrées. Qu'est-ce qui fait qu'une femme réussit et qu'une autre échoue ? La plupart des femmes allaitent leurs petits d'une façon relaxe et détendue, sans trop se poser de questions. Elles donnent le sein sans restriction aucune, sans se soucier du temps. Elles ne surveillent ni le poids du bébé, ni leur production de lait. Elles aiment allaiter et ne se soucient guère du sevrage. Tout se fait naturellement et l'allaitement fait partie de leur vie de femme tout comme les rapports sexuels et la maternité.

Pour les femmes vivant en pays américanisés, les choses se compliquent. L'allaitement est devenu un processus difficile : la femme surveille constamment le poids du bébé, s'inquiète de sa production lactée, surveille constamment ses mamelons car ceux-ci sont souvent atrophiés à cause des tissus synthétiques, des détergents, etc. Le moment où le bébé dormira toute la nuit devient presque une obsession. Certaines, vont jusqu'à calculer le nombre de minutes pendant lesquelles le bébé boit à chaque

sein. On écrit même des livres sur l'allaitement (!). La fonction biologique de la maternité est souvent perçue comme un désavantage, comme une entrave à la liberté. Au contraire, les femmes qui allaitent longtemps et avec succès considèrent la maternité comme une joie et un privilège. Le succès ne se définit pas en nombre de mois. C'est plutôt la façon d'allaiter qui importe.

VOICI LES PRINCIPAUX POINTS À RETENIR POUR FAIRE UN SUCCÈS DE VOTRE EXPÉRIENCE D'ALLAITEMENT :

1

Allaitez sur demande

La règle numéro un est de donner le sein chaque fois que le bébé le réclame. Beaucoup de femmes ont ainsi le sentiment d'être dominée par le bébé en étant toujours à sa disposition. C'est pourtant la façon de procéder durant les premières semaines. C'est le bébé qui sait quand il a faim et lui seul. Oubliez l'horloge et tout ira bien. C'est la meilleure façon d'entretenir une bonne production de lait.

2

Importance de la détente

Les émotions influencent beaucoup la sécrétion lactée. Évitez les querelles, éloignez-vous des gens qui vous mettent mal à l'aise. Prenez le temps de relaxer avant chaque tétée. Les émotions violentes ou négatives tendent à réduire l'influx de sang qui, par conséquent, empêche le lait de couler librement. C'est le temps plus que jamais d'apprendre à relaxer. Ayez confiance en votre capacité de nourrice; la seule peur de ne pas avoir assez de lait peut avoir un effet néfaste. Des millions de femmes ont allaité leurs bébés, vous en êtes tout aussi capable.

3

Bien conditionner le réflexe de sécrétion

Il arrive qu'une femme ait beaucoup de lait mais que son réflexe de sécrétion ne fonctionne pas très bien. Cela peut prendre quelques semaines et peut avoir un lien avec l'expérience de la nourrice. Lorsque vous serez experte, le seul fait d'entendre votre bébé pleurer pourra faire déclencher le réflexe.

Pour les premières semaines, donnez-vous un coup de pouce, en prenant un bain chaud avant la tétée, ou tout simplement en trempant les seins dans l'eau chaude. Prenez de la levure de bière ou un verre de vin avant d'allaiter (N'abusez pas, cependant). Utilisez l'oxytocine en vaporisateur nasal.

4

Prenez soin de vous

Il est quelquefois difficile pour une mère de famille de penser à elle. Elle est habituée de vivre pour les autres, et tout ce qu'elle fait est en fonction de son mari et de ses enfants. C'est bien beau

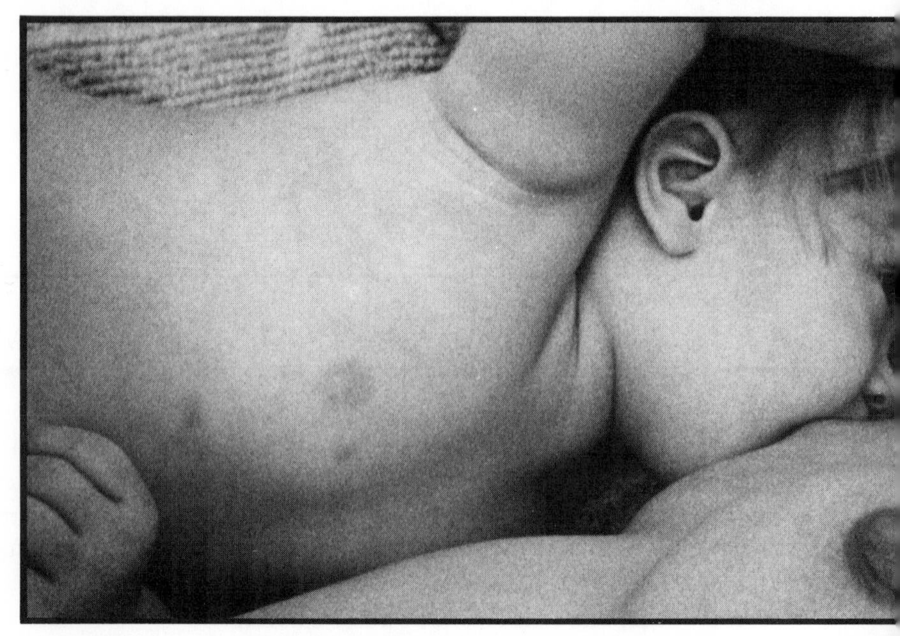

tout ça, mais pour mieux penser aux autres, il faut penser à soi. Gâtez-vous un peu; lorsque vous allaitez le bébé, tout peut attendre. Profitez de cette période pour vous dorloter et vous reposer. Le plus important pour le moment c'est vous et le bébé. Faites de votre période d'allaitement une sorte de «vacances»; votre moral en bénéficiera et, par conséquent, votre production de lait. Mangez de bons repas, prenez l'air et faites des siestes.

5

Le support du mari

Sans l'aide de votre mari, vous aurez beaucoup de difficultés à allaiter. S'il vous donne son appui, c'est un gage de succès.

6

L'aide domestique

Selon l'anthropologue *Dana Raphaël*, l'échec de l'allaitement en pays occidentalisé est dû, en grande partie, au manque d'aide ménagère. Durant les premières semaines, la nouvelle maman

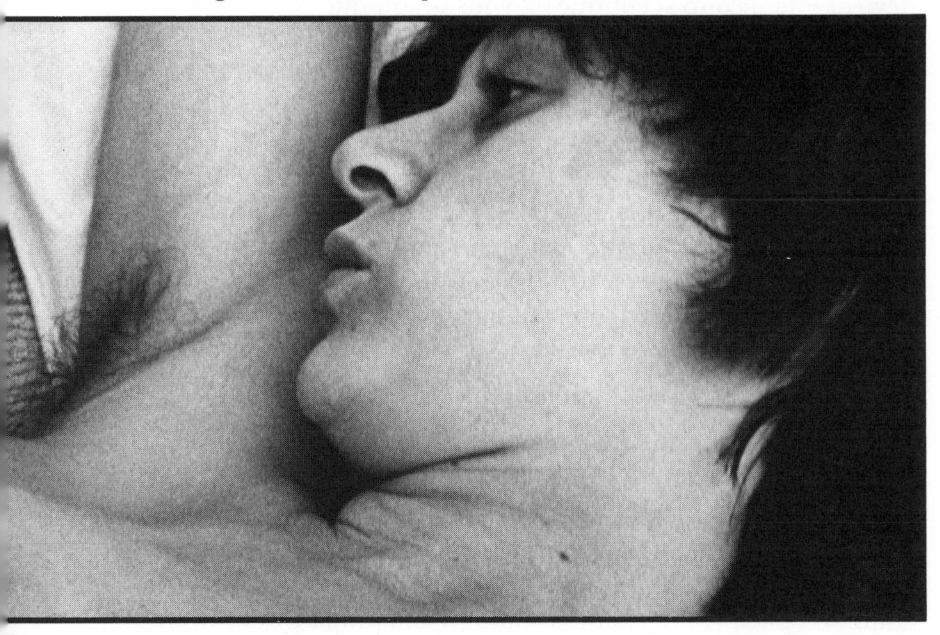

devrait s'occuper uniquement de son bébé, et laisser les travaux ménagers à une personne fiable. Les femmes font souvent l'erreur de ne compter que sur leur mari, pour ces besognes. On oublie, quelquefois, qu'en plus de son travail, il doit lui aussi s'adapter à son nouveau rôle et a besoin de se rapprocher de sa femme et de son enfant. Par conséquent, il est préférable d'engager une autre personne.

7

Surmontez les tabous et les oppositions sociales

Il existe encore beaucoup de tabous entourant l'allaitement maternel. Si vous allaitez pour la première fois, il est possible que vous soyez l'objet de critiques, quelquefois venant de personnes chères. Il y a des femmes qui, ayant échoué elles-mêmes, se réjouiront «poliment» si vous rencontrez des difficultés. Une mère ou une belle-mère n'ayant pas allaité peut ressentir une sorte de jalousie et émettre des remarques désobligeantes. Un médecin ou une infirmière qui, au départ, vous encourageait, devient tout à coup sceptique en vous disant que votre lait n'est pas assez riche, que vos mamelons n'ont pas la forme désirée, etc. Si vous êtes la seule dans votre famille qui allaitez votre bébé, vous pouvez rencontrer toutes sortes d'oppositions. Si le bébé pleure le moindrement, ce sera la faute de votre lait. Certaines personnes ressentent même du dégoût à la vue d'un bébé au sein et même le mot «téter» peut les faire réagir. Une nouvelle maman, encore novice dans la pratique de l'allaitement, peut être influencée par son entourage. Faites la sourde oreille et passez pardessus ces remarques. L'important n'est pas ce que les autres pensent mais votre bien-être et celui du bébé.

8

Renseignez-vous

Avant d'accoucher, essayez de rencontrer des femmes qui ont une expérience positive de l'allaitement. Par l'entremise de la Ligue La Leche, vous rencontrerez des mères heureuses d'allaiter et qui, en plus, connaissent la solution à la plupart des problèmes. Elles vous fourniront la documentation nécessaire afin que vous soyez bien informée sur tout ce qui concerne l'allaitement et la maternité en général.

Il est réconfortant de savoir que de tout temps, dans tous les pays du monde, des millions de femmes ont réussi à allaiter leurs bébés et, quelquefois, dans les conditions les plus difficiles, à l'époque où les biberons n'existaient pas. Le succès était assuré car les femmes n'avaient d'autre alternative que l'allaitement maternel.

Dans notre civilisation, tout semble s'orchestrer pour nous rendre la tâche difficile. Une femme qui réussit à allaiter en pays américanisé a beaucoup de mérite. Soyez fière de vous et mettez votre expérience à profit en aidant les autres mères.

Témoignages

«J'ai allaité mes trois enfants, mais à chaque fois, j'ai dû arrêter vers l'âge d'un mois à cause de problèmes que je ne savais comment résoudre... À chaque fois, je me suis sentie profondément frustrée et déchirée...»

«Une des plus belles expériences de ma vie fut celle de l'allaitement maternel. Je n'oublierai jamais ces moments de chaude intimité avec mon bébé...»

«Mon bébé ne pesait que 3 lbs 2 onces à la naissance et dut rester trois semaines à l'hôpital. J'ai dû extraire mon lait et aller le porter deux fois par semaine à l'hôpital. La troisième semaine, j'allais le nourrir moi-même à l'hôpital, car il était assez fort pour téter. Il a maintenant six mois, et si je compare les problèmes avec les joies que cela m'a apportées, je peux dire que les efforts en valaient la peine. C'est maintenant un bébé très heureux et nous formons un «couple» très uni.»

«Avant d'avoir un enfant, lorsque je voyais une femme et son bébé au sein, je trouvais ça très beau, mais je ne pouvais pas comprendre. Le regard de la mère rempli d'admiration et de contentement, l'attachement des deux

partenaires l'un pour l'autre, je trouvais ça un peu exagéré. Mais, maintenant que je vis l'expérience, je peux dire qu'il n'y a pas de mots pour décrire ce qu'on peut ressentir. Lorsque mon bébé est au sein, je pense que le monde pourrait s'écrouler; nous ne formons qu'un, un peu comme un couple d'amants...»

«Moi qui étais excessivement nerveuse, je ne pensais jamais que je pourrais allaiter. Maintenant les gens ne me reconnaissent plus... L'allaitement fut pour moi une école de détente et de relaxation. J'ai appris à vivre au jour le jour, à ne pas m'en faire pour le lendemain, à profiter pleinement de mon bébé...»

«Je ne me suis jamais sentie aussi femme que pendant l'année où j'ai allaité mon bébé. En plus d'être à mon avantage physiquement, je me sentais en pleine possession de tous mes moyens. J'étais plus réceptive aux autres, et plus créatrice aussi. Je suis tisserande et c'est l'année où j'ai créé les plus belles choses...»

«Certaines personnes pensent que plus on a d'enfants, plus c'est difficile d'allaiter. Étant mère de huit enfants, je peux affirmer le contraire. Plus j'avais d'enfants, plus je prenais de l'expérience et plus cette fonction naturelle et simple devenait partie de ma vie. Ce geste spontané de donner le sein, me permettait de me détendre régulièrement et de jouir pleinement de mon petit dernier. Je suis convaincue que plus on a d'enfants, plus l'allaitement est indispensable et source de grandes joies. J'ai allaité mes huit enfants et je peux dire qu'à chaque fois, cela devenait plus simple et naturel pour moi...»

«L'allaitement m'a réconciliée avec mon rôle de mère. Ma première expérience fut désastreuse, car mon bébé pleurait tout le temps, et je me sentais impuissante à le consoler. Cela m'a rendue nerveuse et agressive, car je sentais qu'il nous manquait quelque chose à ma fille et à moi. J'ai su à mon deuxième enfant ce qui nous avait tant manqué : tous ces petits détails qui font de l'allaitement une expérience si pleine et si complète. Ma deuxième fille a maintenant un an, et bien qu'elle mange depuis six mois, elle prend encore le sein. Nous avons beaucoup de plaisir ensemble; elle me fait croire qu'elle va me mordre, je lui fais les gros yeux, alors elle éclate de rire, me pince le nez ou

caresse le sein libre. J'espère que notre relation va durer encore longtemps, car c'est si bon de se donner l'une à l'autre, quelques fois par jour. Je souhaite que toutes les futures mamans vivent cette merveilleuse histoire d'amour.»

Bibliographie

Ces différents livres et publications m'ont été très utiles dans la rédaction de ce livre mais par-dessus tout il a été écrit à partir de mon expérience personnelle en tant que mère de quatre enfants et comme monitrice de la Ligue La Leche en ayant rencontré des centaines de femmes nourrices.

Brewster, Dorothy Patricia : *You can breast-feed your baby even in special situations* Roxdale Press, 1979

Davis, Adelle : *Let's have healthy children* The New American Library 1972

Dodson, Fitzhugh : *Tout se joue avant six ans* Robert Laffont - Marabout service 1972

Eiger, Marvin S.M.D. : *The complete Book of Breast-Feeding* Sally Wendkos Olds, Bantam 1973

Elkins, Valmai : *The Rights of the Pregnant Parent* Waxwing Productions 1976

Ewy, Domma & Roger : *Preparation for Breast-Feeding*
Doubleday Dolphin 1975

Gerard, Alice : *Please, breast-feed your baby*
The New American Library 1972

Gray, Henry : *Gray's Anatomy*
Running Press 1974

Jelliffe, Denick B. : *Infant nutrition in the tropics and subtropics*

Klaus, Marshall H. : *Maternal-Infant Bonding*
H. Kennel, the C.V. Mosby Company
St-Louis 1976

Keipley, Sheila : *Breast-Feeding and Natural Child Spacing. The ecology of natural mothering*
Harper & Row 1974

Lambert-Lagacé, Louise : *Comment nourrir son enfant de la naissance à six ans.*
Menu de Santé.
Une cuisine sage.
Éditions de l'Homme

Ligue Int. La Leche : *L'Art de l'Allaitement Maternel*

Montagu, Ashley : *Touching, the human significance of the skin*
Perrinial Library, Harper & Row 1972

Newton, Niles : *Maternal Emotions*
Paul B. Holker inc. Medical Book Department of Harper & Brothers 1976

Pryor, Karen : *Nursing your Baby*
Harper & Row 1976

Raphaël, Dana : *The tender gift : Breast-feeding*
Prentice-Hall 1973

D.B. ET E.F.P. Jelliffe : *The Uniqueness of Human Milk*

Articles provenant de différentes publications

Ganier-Raymond, Philippe : *Des laits qui tuent ?* Parents, février 1976

Gerrard, John W. : *Breast-Feeding Second Thoughts* Pediatrics, vol 54 no. 6, Décembre 1974

Ligue Int. La Leche : Information sheets no. 10-12-13-17-18-19-21-78b-80-83-89a-104-105-140.

Myres, A.W.M.D. : *Obesity : Is it preventable in infancy and childhood ?* Canadian Family Physician, avril 1975

Newton, Niles : *Breast-Feeding* Psychology Today, juin 1978

Roy, Claude, M.D. : *Retour à l'allaitement maternel essentiel en pays développé comme en pays sous-développé.*

Taggart, Marie-Élizabeth : *L'allaitement peut être un succès* L'infirmière canadienne, mars 1976

Théberge-Rousselet, Denis : *La congélation du lait maternel* L'infirmière canadienne, juillet 1975
Vitamin D in human milk Lancet, janvier 1977

Whittlestone, W.G. : *Cow's milk for cows, human milk for humans* Mai-juin 1976
Why Breast Milk in the Best Milk for Baby Prevention, avril 1976.

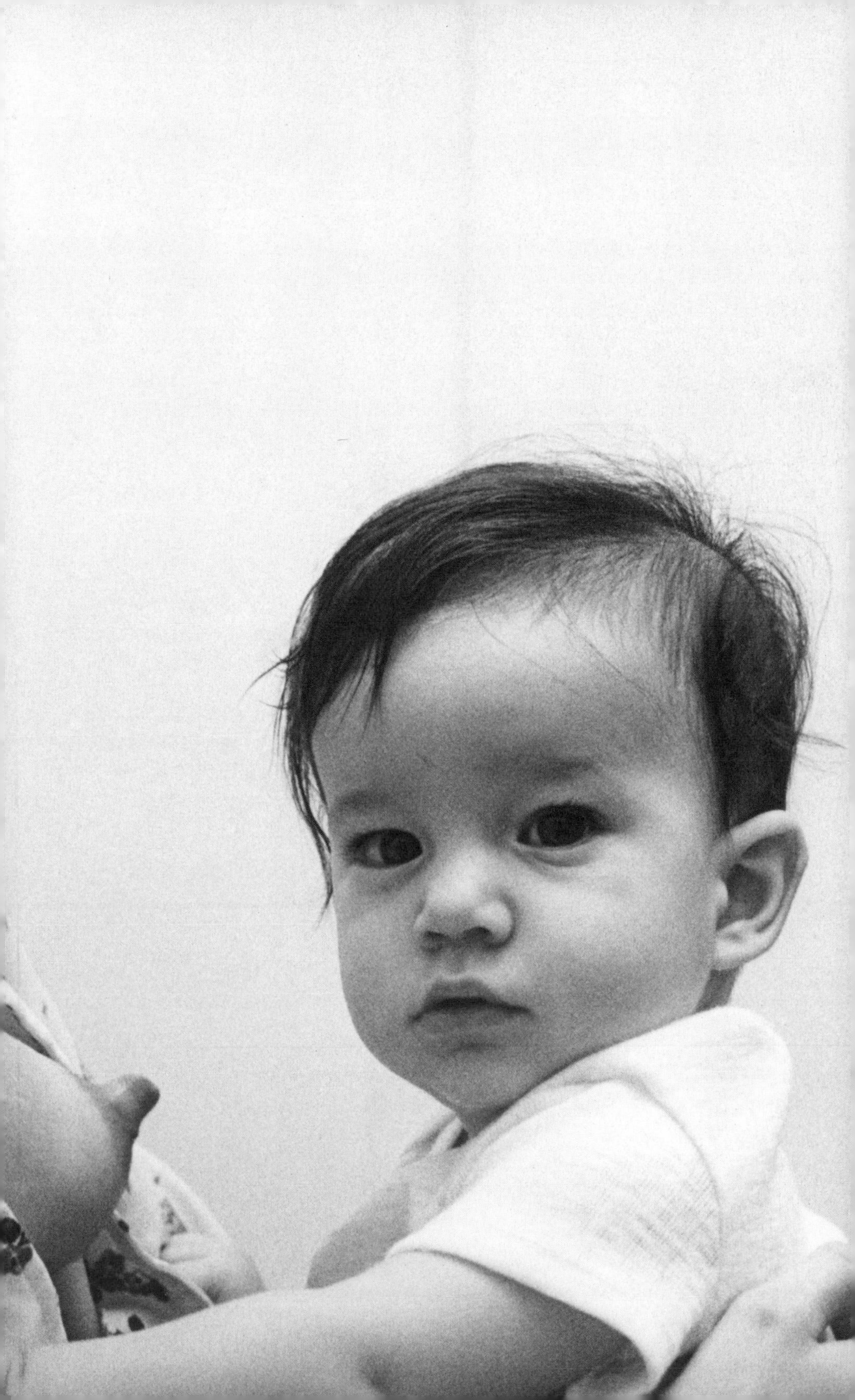